Los secuestradores de burros

Gerald Durrell

Traducción de María Luisa Balseiro
Ilustraciones de Mabel Alvarez

INFANTIL • JUVENIL

TITULO ORIGINAL:
THE DONKEY RUSTLERS

Del texto: 1968, Gerald Durrell
1982, Ediciones Alfaguara, S.A.
1987, Altea, Taurus, Alfaguara S.A.
1992, Santillana S.A.
De las ilustraciones: MABEL ALVAREZ
Traducción de MARÍA LUISA BALSEIRO

De esta edición:
ALFAGUARA

1992, Editorial Santillana S.A.
Carrera 13 # 63-39, Piso 12
Teléfono 2 48 73 92
Santafé de Bogotá - Colombia

• Santillana de Ediciones, S.A.
Rosendo Gutiérrez 393, esquina
Avda 20 de Octubre Sopocachi, La Paz
• Santillana
Eloy Alfaro, 2277 y 6 de diciembre, Quito
• Santillana S.A.
Avda. San Felipe 731, Lima
• Editorial Santillana S.A.
4a. Avda. No. 15, Qta. María Ana, entre 5a. y 6a., transversal,
Urbanización Altamira, Caracas

I.S.B.N.: 958-24-0104-4
Impreso en Colombia

Primera edición en Colombia, octubre de 1992
Tercera reimpresión, octubre de 1995

Una editorial del grupo **Santillana** que edita en:
España • Argentina • Bolivia • Colombia • Costa Rica • Chile
México • EE. UU. • Perú • Portugal • Puerto Rico • Venezuela

Diseño de la colección:
JOSÉ CRESPO, ROSA MARÍN, JESÚS SANZ

Los secuestradores de burros

Para mi ahijado adoptivo
Andreas Damaschinos,
que vive en una isla
donde bien podría haber sucedido
lo que aquí se cuenta

Indice

Capítulo 1

Melisa

Melisa es una isla perdida en el mar Jónico. Es tan pequeña, y está tan a trasmano, que muy poca gente sabe de su existencia. Es una isla afortunada porque tiene agua en abundancia; el campo está poblado de olivares y cipreses y en ciertas épocas se ven grandes extensiones cubiertas de flores de almendro blancas y rosadas. Una vez al año visita la isla un barquito de turistas que atraca en el puerto de Melisa, y allí los turistas desembarcan en pelotón y compran grandes cantidades de falsas antigüedades griegas, que constituyen la principal fuente de ingresos de los alfareros del lugar.

La isla se enorgullece de tener una pequeña colonia extranjera, compuesta en primer lugar por un francés muy anciano, que reside en una villa apartada y muy raras veces se deja ver en público. Se rumorea que está recuperándose de un amor desgraciado, pero a juzgar por el número de campesinas que tiene empleadas en la villa, todas ellas rollizas y de buen ver, se diría que ha encontrado el antídoto ideal para sus penas. También hay dos señoras inglesas de cierta edad que se pasan la vida rescatando gatos extraviados, haciendo buenas obras y dando aburridísimas lecciones de inglés a los melisiotas que desean adquirir conocimientos de esa lengua.

Esa es, por así decirlo, la población estable, pero durante los meses de verano las pocas gentes que saben de la existencia de Melisa (y que además son lo bastante inteligentes) alquilan destartaladas villas en el campo y van allí a tomar el sol y a bañarse en el mar templado, con lo cual cada año le van tomando más cariño a la isla y a sus simpáticos y bondadosos habitantes. Verdaderamente, Melisa es una especie de mundo al revés en el que la lógica no tiene nada que hacer; en Melisa puede pasar cualquier cosa, y a menudo pasa.

El santo patrón de Melisa es San Policarpo. Una vez, en el transcurso de sus viajes en 1230, un siroco le apartó de su rumbo y el santo no tuvo más remedio que quedarse en la isla hasta que mejoró el tiempo. En señal de gratitud por la hospitalidad que se le había mostrado, hizo obsequio a la isla de un par de vetustas zapatillas. Los melisiotas, conmovidos por tanta generosidad, inmediatamente le nombraron su santo patrón, y de allí en adelante las zapatillas, cuidadosamente colocadas en un relicario, fueron el núcleo de toda ceremonia religiosa.

En la parte norte de la isla hay un pueblecito que se llama Kalanero. Está subido a lo alto del monte, y a sus pies se extiende una fértil llanura cultivada que llega hasta el mar. Todas las mañanas se levantan los aldeanos y descienden en burro por la ladera —habrá sus buenos cuatro o cinco kilómetros— para trabajar sus campos. En el centro del pueblo se alza una gran villa veneciana que lleva trescientos años o más desmoronándose bajo el sol.

Durante mucho tiempo los aldeanos miraron aquella villa con cierta animosidad, porque la poca gente que llegaba hasta allí no la alquilaba nunca, por lo cual no podía Kalanero presumir como otros pueblos de poseer villas habitadas por forasteros. Hasta que un día llegaron los Finchberry-White.

El padre, general de división Finchberry-White, era la viva imagen de lo que para los melisiotas debía ser un inglés: era alto y un poco corpulento, y por todas partes se movía con aires de ser el amo. Pero la verdad es que en el fondo *era* un melisiota. Poseía un raro talento —raro entre los ingleses, por lo menos—, que era su facilidad para los idiomas. No recuerdo ahora mismo cuántos idiomas hay en Eu-

ropa, pero, sean los que fuesen, el general
los hablaba todos tan bien como un nati-
vo. Así que para el campesinado local
presentaba el atractivo inmediato de ser un
inglés que, cosa nunca vista, hablaba griego. Y tenía otro atractivo más: había
perdido una pierna y llevaba una postiza
de aluminio, articulada, sobre la cual en
los momentos de tensión ejecutaba complicados ritmos de tambores africanos. En

cuanto descubrió la villa de Kalanero la
alquiló para mucho tiempo, y ni que decir
tiene que los lugareños se llevaron una
gran alegría. Ahora no sólo iba a vivir
entre ellos un inglés, sino un inglés que
hablaba griego y que además era evidentemente un héroe de la guerra, porque le
faltaba una pierna. La aldea se dividió en
dos corrientes de opinión acerca de cómo
lo había logrado. Medio Kalanero insistía

en que le había ocurrido mientras tomaba Roma él solo; el otro medio Kalanero estaba convencido de que le había pasado mientras tomaba Berlín él solo. Lo que no sabía nadie era que el general había perdido la pierna un día que bebió más de la cuenta y se cayó por las escaleras de la casa de un amigo suyo en Chelsea. Pero la verdad es que era su dominio de la lengua griega lo que le hacía ser más querido de todos.

El general sólo tenía una ambición en la vida, y esa ambición era pintar. Pero la pierna mala no le permitía recorrer sino distancias muy cortas. Esa fue la razón de que alquilara la villa de Kalanero sin pensarlo dos veces. Tenía una amplia terraza desde la cual se dominaba un panorama de cipreses con el mar de fondo, y por lo tanto era un buen sitio para pintar. El general instalaba el caballete y pintaba muchos y malísimos cuadros de cipreses, porque en su opinión era un árbol fácil de dibujar y poniéndoles muchos colorines por detrás se conseguían unos paisajes que no tenían nada que envidiar a los de la Real Academia. Así, con una pertinencia que estoy seguro de que fue la misma que le valió sus galones, pintaba un cuadro tras otro desde aquel mismo punto de vista, para su completa satisfacción y la de los aldeanos, los cuales, naturalmente, le trataban con una reverencia de la que el propio Rembrandt se habría enorgullecido.

Había también, claro está, una señora Finchberry-White y dos niños, un
niño y una niña. La esposa del general era
una de esas señoras inglesas un tanto
ajadas que debieron de ser muy guapas en
su juventud, y ahora llevaba el peso de los
años con suma elegancia. Dedicaba su

tiempo a deambular distraídamente, recoger flores silvestres y organizar comidas totalmente desorganizadas a intervalos irregulares. Pero, por supuesto, los protagonistas de esta historia son dos niños: David y Amanda.

Capítulo 2

Llegada

Naturalmente, los doscientos cincuenta habitantes de Kalanero estaban enterados de la llegada inminente de los Finchberry-White, lo cual quería decir que todo en el pueblo era emoción y actividad. Sin duda el más emocionado de todos era Yani Panioti. Yani tenía la misma edad que los niños, era su mejor amigo y desde el primer momento se había enamorado locamente de Amanda y la obedecía como un esclavo. Su cuerpo esbelto estaba tostado por el sol, y se movía con la agilidad de un gato. Bajo su mata de pelo, negro como el azabache y rizado como la viruta de madera, sus enormes ojos oscuros contemplaban el mundo con un aire irresistible de inocencia o relampagueaban con mirada traviesa y maliciosa. Ahora Yani ayudaba a limpiar la villa silbando bajito y con fino oído musical, y tenía el corazón contento porque por fin Amanda volvía a él.

Se abrieron de par en par las grandes contraventanas de la villa, chirriantes y resquebrajadas por el sol, y la vieja Mama Agathi y su marido, que eran los guardianes, se aplicaron a quitar las telarañas acumuladas durante el invierno y a fregotear los blancos suelos de madera, mientras el propio Yani atendía a barrer y limpiar de malas hierbas la gran terraza. De hecho es más que probable que la gran terraza se barriera y limpiara con mayor esmero que el resto de la villa, cosa muy natural tratándose del puesto de observación del general.

Hasta que una mañana los aldeanos se despertaron sabiendo que había llegado el gran día, pues en el puerto se esperaba a la *Ninfa de Jonia,* un modesto navío escorado a estribor y con un gran boquete en la proa que era el único enlace de Melisa con el continente. A pesar de ser un barco muy poco marinero, al general le gustaba viajar en él, pues, según decía, cada travesía era una aventura náutica digna de un sir Walter Raleigh o un sir Francis Drake. La *Ninfa de Jonia* atracó felizmente en el puerto de Melisa, y poco después Yani Panioti, encaramado a lo alto de un olivo, comunicó con gestos y gritos a los de la aldea que ya se veía la blanca nube de polvo que levantaba el único taxi de Melisa según conducía a los Finchberry-White hacia Kalanero.

El alborozo con que los aldeanos

saludaron la llegada del taxi a la plaza mayor del pueblo fue indescriptible. Hasta el viejo Papa Yorgo, que (como sabía todo el mundo) pasaba de los cien años, pidió que se le sacara, apoyado en dos bastones, para saludar a los forasteros. El alcalde, Niko Oizus, un hombre esférico con enormes bigotes de morsa, que exudaba sudor y servilismo rastrero al mismo tiempo, salió para darles la bienvenida en nombre del pueblo entero. Allí estaba incluso Coocos, el llamado tonto del pueblo, con su cara redonda convertida en una pura sonrisa y luciendo en honor a la ocasión el viejo sombrero hongo que el general trajera de Inglaterra el año anterior. Aquel sombrero era uno de los tesoros más preciados de Coocos, después de un jilguero que llevaba a todas partes en una jaulita y sobre el cual derramaba su amor y sus cuidados hasta extremos increíbles. Hubo obsequios de todos: cestas de naranjas y limones, pañuelos llenos de huevos, almendras y nueces, y, por supuesto, enormes cantidades de flores multicolores de todas clases.

A Yani le pareció que Amanda estaba, si acaso, más guapa todavía que el año anterior, y la siguió con una ancha sonrisa en su cara morena mientras ella correteaba emocionada por el pueblo besando y abrazando a todo el mundo, resplandeciente al sol su cabello dorado y brillantes de emoción sus azules ojos. David la seguía con

paso más tranquilo, repartiendo solemnes apretones de manos.

—¿Os gusta Kalanero? —preguntó Yani en broma, cuando, ya amortiguado el alborozo de la aldea, los tres niños emprendieron el camino de la villa.

—¿Cómo que si nos gusta? —dijo Amanda, de cuyos ojos el sol arrancaba chispas de color zafiro—. Claro que nos gusta. Es *nuestro* pueblo.

Cuando llegaron a las grandes y herrumbrosas verjas de hierro que guardaban la entrada de la villa, pareció como si la animación y el entusiasmo de Yani ante su llegada hubieran decaído.

—¿Por qué pones esa cara tan triste? —le preguntó Amanda—. ¿No estás contento de que hayamos vuelto?

—Claro que sí —dijo Yani—. Es que estoy preocupado.

—¿Y por qué estás preocupado? —preguntó Amanda muy sorprendida.

—Ahora no os lo puedo decir —respondió él—. Esta tarde nos vemos en el olivar. Ahora me voy porque tengo cosas que hacer.

—¿Es algo divertido? —preguntó Amanda muy animada.

—No —dijo Yani—. No es nada divertido, y os quiero pedir consejo.

—Dínoslo ahora —pidió David.

—No. Esta tarde, en el olivar, donde nadie nos oiga —dijo Yani, y dando media vuelta regresó corriendo al pueblo.

Amanda y David entraron en la villa, y se encontraron con que ya había sido amorosamente desorganizada por la señora Finchberry-White y Mama Agathi. A pesar de haberlo intentado por todos los medios, la señora Finchberry-White jamás había logrado aprender más de cuatro o cinco palabras de griego, y como Mama Agathi no era tampoco ninguna lingüista, el dúo que formaban las dos era digno de oírse. El general había sacado de las maletas lo que para él constituía la parte más vital del equipaje familiar, es decir, su caballete y sus pinturas, y los había instalado en la terraza.

—¿Verdad que la gente del pueblo es maravillosa? —dijo Amanda, tendiéndose a tomar el sol sobre el enlosado.

—Son muy cariñosos —dijo el general, poniendo todo su esmero en dibujar otro ciprés con gran precisión y absoluta inexactitud.

—Papá, no me digas que vas a pintar *otro* de esos cuadros horrorosos —dijo David—. ¿Por qué no lo pintas desde otro ángulo? Y además estás haciendo mal los árboles.

—Cuando mi grado de senilidad aconseje que tú me des lecciones de pintura, ten por seguro que no dejaré de comunicártelo —dijo el general, y siguió pintando impertérrito.

—Yo creo que deberías hacer cosas como las que hace Picasso —dijo Amanda—, porque así nadie se daría cuenta de lo mal que dibujas.

—¿Por qué no vas a ayudar a tu madre? —dijo el general—. Si no, con lo bien que se le da la lengua griega, me temo que nos quedamos sin desayuno.

Amanda exhaló un suspiro de resignación, y cruzando las destartaladas habitaciones donde resonaban sus pasos se dirigió a la cocina. Allí su madre estaba intentando explicarle a Mama Agathi, sin demasiado éxito, cómo eran los huevos revueltos. Para Mama Agathi no había más que dos clases de huevos: o crudos o cocidos y pintados de rojo en Pascua.

—Mamá, no tienes arreglo —dijo Amanda con impaciencia—. Ya que no aprendes griego, por lo menos podrías dejar de confundirla pidiéndole cosas que en su vida ha oído nombrar.

—Pero hija mía, si todo el mundo ha oído nombrar los huevos revueltos —dijo la señora Finchberry-White muy sorprendida—. *Todo el mundo.* Cuando yo era joven los hacíamos todos los días para el desayuno.

—En esa habitación hay unas florecitas color de rosa muy interesantes que me ha dado Yani —dijo Amanda—; ¿por qué no vas a ponerlas en agua y mientras yo organizo el desayuno?

Encantada de quitarse de encima la pesada responsabilidad de los huevos revueltos, la señora Finchberry-White abandonó la cocina para añadir las flores a su colección, y Amanda, con unas frases rápidas y decididas, organizó el tipo de desayuno que quería el general.

Al poco rato estuvo dispuesta la mesa en la terraza, y el general, despidiendo fuerte olor a trementina, ocupó su asiento en la cabecera y se puso a devorar grandes montañas de huevos revueltos del color del sol poniente, y enormes tostadas que goteaban mantequilla y sostenían una gruesa capa de mermelada de naranja especial que él mismo había traído consigo con ese fin.

—¿Qué vais a hacer hoy? —preguntó la señora Finchberry-White a sus hijos.

—Yo quiero ir a Hespérides —dijo Amanda.

—No —dijo David tajantemente—. No podemos ir a Hespérides sin Yani, y Yani tiene cosas que hacer.

—Pues yo quiero bañarme —dijo Amanda.

—Pues te bañas, pero a Hespérides *no* vamos sin Yani.

Aunque para casi todo Amanda era la más dominante de los dos, en las rarísimas ocasiones en que su hermano adoptaba aquel tono de voz, Amanda, a pesar de ser la mayor, cedía dócilmente.

—Está bien —dijo con resignación.

Habían descubierto Hespérides durante el primer verano que pasaron en Melisa. Era una islita situada frente a la costa a poca distancia de la aldea, tan poblada de cipreses que sobresalía del agua como una especie de lanudo triángulo isósceles. En lo más alto había una explanada con una iglesia diminuta, como las que tan a menudo se encuentran en Grecia, cuyo interior podía alojar cómodamente a tres feligreses siempre que no estuviera además el cura. Junto a la iglesia había dos cuartitos encalados en los que durante muchos años había vivido un monje muy viejo. Hacía tiempo que muriera el monje, y aunque el arzobispo de Melisa había escrito a Atenas pidiendo un sustituto, no recibió respuesta. Transcurridos dos años sin recibir noticia alguna de Atenas, el arzobispo dedujo que su carta se había perdido, y tomó nota mentalmente de que debía volver a escribir; pero se le había olvidado hacerlo, y en consecuencia la islita estaba absolutamente deshabitada. Era fácil llegar a ella a nado desde la costa, y en la primera ocasión en que así lo hicieron los niños, Amanda, según salía a tierra chorreando, había visto un mandarino cargado de frutos al pie de la escalinata que conducía a la iglesia.

—¡Mira, David —gritó, casi negros de emoción sus ojos azules—: mira, manzanas de oro!

David inspeccionó el árbol con gran seriedad, y después dijo:

—No son manzanas, bruta; son mandarinas.

—Bueno, pues podemos *hacer* como que son manzanas —dijo ella riéndose ante la evidencia—, y llamar a este sitio Hespérides.

Y por eso desde aquel momento la isla tomó el nombre de Hespérides, y hasta los aldeanos habían empezado a llamarla así. Hasta entonces nadie le había puesto nombre, y simplemente se la conocía por «la isla donde está el monje», lo cual no era del todo justo.

—¿Vais a estar fuera todo el día? —preguntó la señora Finchberry-White—. Porque entonces tendré que prepararos algo de comida.

—Sí, estaremos todo el día fuera —respondió Amanda—; pero no te molestes, mamá, yo tardo menos en prepararla.

—Bueno, hija —dijo la señora Finchberry-White con alivio—, porque yo quiero prensar un montón de flores que me han dado los aldeanos, y tu padre quiere pintar.

—Sí —dijo el general con satisfacción, y girando sobre su asiento se colocó el monóculo en el ojo y contempló con orgullo su espantoso lienzo—. Voy a ver si lo tengo terminado para la puesta del sol.

—Pues vámonos, David —dijo Amanda impaciente—: quiero bajar a la playa.

Se fue a la cocina, y metódicamente llenó en seguida una mochila pequeña con los diversos comestibles que le parecieron necesarios para sí y para su hermano. No se molestó en coger agua, porque la playa adonde iban tenía un manantial que brotaba entre los acantilados rojos y amarillos, centelleaba brevemente sobre la arena y luego se perdía en las aguas azules de la bahía.

Amanda y David descendieron unos ochocientos metros por la ladera hasta la playa. Era curioso, pero, aunque los dos hermanos se querían mucho, hablaban muy poco cuando estaban juntos. Sólo cuando salían con Yani se volvían eufóricos y parlanchines. Caminaron lentamente por el abrupto sendero que conducía a la playa, contento cada uno de ir en compañía del otro y sumido en sus pensamientos. Los ojos de Amanda se disparaban acá y allá a medida que iba anotando mentalmente las diferentes flores silvestres que veía, y que recogería a la vuelta para llevárselas a su madre. David iba atento a las lagartijas pardas y azules que se escabullían por todas partes al paso de sus sandalias, y se preguntaba cuántas lagartijas harían falta, si se las pudiera enganchar convenientemente, para tirar de un carro. El aire estaba caliente y cargado de olor a tomillo y arrayán. Los niños depositaron sus cosas en la playa, se quitaron la ropa y se zambulleron en las aguas azules y cálidas.

Cada uno de ellos disfrutó a su manera de su primer día de estancia en

Melisa. David encontró una cría de pulpo debajo de una roca, y entre los dos le hostigaron suavemente con un palo para ver cómo se ponía color de rosa y verde irisado de pura irritación, hasta que al fin salió disparado hacia aguas más profundas, como un globo arrastrando tras de sí sus cuerdas, dejando un velo de tinta negra

que quedó suspendido y meciéndose en las aguas tranquilas. Amanda encontró una rama de olivo retorcida a la que primero el mar había frotado y lijado y luego el sol había desteñido hasta darle una blancura asombrosa.

—Me gustaría saber —dijo con aire pensativo— por qué cuando la naturaleza hace algo así resulta bonito, y en cambio cuando papá intenta dibujar la misma clase de árbol, resulta tan horroroso.

—Muy sencillo, porque la naturaleza dibuja mejor que papá —dijo David muy serio.

Los dos se miraron un instante, y luego les dio un ataque de risa tan fuerte que les hizo rodar por la arena, riendo como locos. Agotados de tanto reír, se quedaron un rato tendidos y adormilados al sol; luego se tomaron el almuerzo, se dieron otro chapuzón y se volvieron a adormilar.

—No se te olvide que hemos quedado con Yani —dijo Amanda, incorporándose de pronto.

—¿Dijo a qué hora? —preguntó David soñoliento.

—No —dijo Amanda—, pero me imagino que querría decir a eso de la hora de las luciérnagas.

—Pues entonces vámonos ya —dijo David, guiñando los ojos al sol.

Remontaron la ladera a paso lento, entontecidos por el sol, sintiendo el cuerpo áspero de la sal que se les iba secando sobre la piel. Cuando llegaron a la villa, Amanda había recogido un gran ramo de flores para su madre y David había calculado, como mejor pudo sin ayuda de papel y lápiz, que se necesitarían seis millones ochocientas cuarenta y dos mil lagartijas para arrastrar un carro. Tenía sus reservas acerca del número exacto porque, según se confesó a sí mismo, no estaba del todo seguro de cuál era la capacidad de tracción de una lagartija. Se hizo el propósito de coger una y experimentar con ella.

—¡Ah, ya estáis aquí! —dijo la señora Finchberry-White—. Iba a salir a buscaros.

Evidentemente no se le ocurrió pensar que no tenía ni la menor idea de a dónde habían ido los niños, por lo que habría tenido que registrar toda la isla de Melisa para encontrarlos.

—¡Qué flores tan bonitas, hija! Muchas gracias —siguió diciendo—. Hoy he tenido un día estupendo. He encontrado tres especies nuevas ahí mismo, al pie de la terraza.

—¿Qué habéis hecho de comida? —preguntó Amanda.

—¿De comida? —repitió la señora Finchberry-White despistada—. Ah, sí, de comida. Pues sí, lo que había.

—Pero ¿habéis hecho algo de comida? —insistió Amanda con severidad.

—Ya no me acuerdo, hija —dijo la

señora Finchberry-White con expresión contrita—. Pregúntale a tu padre.

El general estaba en la terraza dando los últimos toques a su cuadro, es decir, añadiéndole un crepúsculo virulento más allá de unos cipreses mal dibujados.

—¿Te ha dado mamá algo de comer? —preguntó Amanda.

—Ah, ya estás aquí, hija mía —dijo el general. Y, dando un paso atrás, señaló al lienzo—. ¿Qué me dices de esto, eh? —preguntó—. Poderoso, ¿no te parece? Poderoso.

—Demasiado poderoso —dijo Amanda despiadadamente—. ¿Habéis hecho algo de comida?

—Sí, han comido —dijo David, apareciendo sin hacer ruido—. Le he preguntado a Agathi.

—Bueno, bueno —dijo el general, echándose grandes cantidades de trementina sobre toda su persona—. ¿Lo habéis pasado bien?

—Muy bien —dijo Amanda. Y, asomándose al olivar, vio las primeras luces verdosas e intermitentes de las luciérnagas—. Es hora de ir a buscar a Yani —le susurró a David—. Ve a comprobar que Agathi nos ha preparado algo para la cena.

—¿Por qué no vas tú? —dijo David.

—Porque no —dijo Amanda con desparpajo—. Me tengo que desenredar el pelo, que lo tengo lleno de sal.

De modo que, mientras Amanda se desenredaba la larga melena rubia y se ponía un vestido que en su opinión le sentaba muy bien, David organizó solemnemente el menú con Mama Agathi. Después, gritando a sus distraídos padres que salían un momento, emprendieron la bajada por los olivares ya oscurecidos, donde los árboles se inclinaban retorciéndose como si estuvieran cuchicheando unos con otros, y donde cada rincón oscuro contenía la amistosa luz verde de una luciérnaga que pasaba.

Capítulo 3

Malevolencia de un alcalde

Al pie de los olivos la oscuridad era casi total. A los oídos de los niños llegaban las llamadas melodiosas de los mochuelos.

—¿Qué será lo que nos quiere decir Yani? —dijo Amanda.

—Debe ser algo relacionado con su padre —dijo David.

—Pero si su padre se murió el año pasado. Será otra cosa.

—Pues yo creo que tiene algo que ver con su padre —dijo David, testarudo.

Se fueron internando cada vez más en el oscuro olivar, bajo las misteriosas formas de los árboles, cuyas hojas susurraban subrepticiamente con la brisa del anochecer. Pero no había ni rastro de Yani. Al cabo de un rato se detuvieron y miraron en derredor.

—¿Dónde se habrá metido? —preguntó Amanda.

—Seguro que llega en seguida —dijo David.

En ese momento Yani se abalanzó sobre ellos de improviso, saliendo de detrás de un olivo gigantesco.

—¡Cuidado! —bisbiseó—. ¡Soy el demonio!

Rió al ver el susto que les había dado, y después le dijo a Amanda, acercándole las dos manos juntas:

—Date la vuelta, que te he traído un regalo.

Ella se dio la vuelta y Yani, abriendo las manos, esparció varias docenas de luciérnagas sobre sus cabellos dorados, donde se quedaron brillando como esmeraldas.

—¡Eres tonto, Yani! —dijo Amanda enfadada, sacudiéndose la cabeza—. Tardaré siglos en quitármelas sin matarlas.

—Pues déjatelas —sugirió Yani—. Te sientan muy bien.

—¿Quién hay detrás de ese árbol? —preguntó de pronto David.

Yani se volvió rápidamente a mirar.

—Ah, no pasa nada, es Coocos —dijo, y llamó al chico para que viniera con ellos.

Coocos llegó arrastrando los pies, se quitó el sombrero hongo y saludó a Amanda con una inclinación, dejó en el suelo la jaulita de su jilguero y luego se sentó muy contento al lado de los niños.

—¿Qué es lo que nos tienes que decir? —preguntó Amanda.

—Pues se trata de mi padre —empezó Yani.

—¿Lo ves? —dijo David con aire triunfal—. Ya lo sabía yo.

—¡Cállate! —dijo Amanda con impaciencia—. Deja que Yani nos lo cuente.

—Pues veréis —explicó Yani—: es que hasta después de morir mi padre no me enteré de que le había pedido prestadas dieciocho mil dracmas a Niko Oizus.

—¿Qué dices? ¿Al alcalde? ¿A ese viejo seboso? —dijo Amanda, horrorizada—. Yo no me habría fiado de él.

—Sí, pero es el más rico del pueblo y el único que podía prestarle a mi padre esa suma —dijo Yani—. Ya sabéis que mi padre me dejó los viñedos y las tierras y la casita que teníamos. Eso es todo lo que poseo. Hace un año que lo vengo trabajando con ayuda de Coocos. No saco ninguna ganancia, pero me da para vivir. Mas ahora al alcalde se le ha metido en la cabeza que tengo que devolverle las dieciocho mil dracmas, o si no se cobrará la deuda quitándome los viñedos, las tierras y la casa. ¿Y yo de dónde saco dieciocho mil dracmas? Tengo un primo en Atenas, y le escribí por ver si me podía echar una mano, pero él también es pobre y encima ha estado enfermo. Así que, como no encuentre alguna solución muy pronto, me voy a ver totalmente arruinado.

Amanda, que mientras Yani contaba su historia había estado toda erizada como un gato enfurecido, explotó.

—¡Ese sapo asqueroso y contrahecho! —exclamó furiosa—. ¡Ese hipócrita viejo, aceitoso y viscoso, que no tiene más que barriga! Nunca le he tragado, y ahora menos aún. ¿Por qué no vamos y le prendemos fuego a su casa? Le estaría bien empleado.

—No seas absurda —dijo David plácidamente—. No sirve de nada ponerse así. Hay que estudiar la situación con sentido común.

—¡Ya está! —dijo Amanda muy excitada—. Podemos pedirle el dinero a papá.

—Ni hablar —dijo David con desdén—. Ya sabes que el lema de papá es «ni prestar ni tomar prestado».

—Sí, pero por Yani sí lo haría —dijo Amanda—. Al fin y al cabo Yani es amigo nuestro.

—Si a mí se niega a prestarme dinero —dijo David amargamente—, desde luego que no se lo va a prestar a Yani. Así que esa idea no vale.

—Tenemos que pensar *algo* —dijo Amanda.

—Pues ¿por qué no te callas y dejas de dar voces y piensas? —preguntó David.

Sentados en corro, contemplaron las luciérnagas que hacían guiños en los rubios cabellos de Amanda y se pusieron a pensar.

—Lo que hay que hacer —dijo por fin David— es algo que nos proporcione alguna fuerza sobre el alcalde, de manera que podamos hacerle entrar en razón. Que se dé cuenta de que es imposible que Yani le devuelva las dieciocho mil dracmas de una vez, aunque quizá pudiera hacerlo poco a poco en unos cuantos años.

—Todo eso está muy bien —dijo Amanda—, pero ¿de dónde vamos a sacar esa fuerza?

—Yo sé que una prima tercera de su mujer parece ser que ha tenido un lío con un hombre casado —dijo Yani, deseoso de ayudar—. ¿Eso serviría de algo?

—Tratándose de una persona como Oizus, no —dijo Amanda con desprecio—. No creo que le importe un pimiento lo que hagan sus primas.

—No, tiene que ser algo mejor —dijo David—, y tiene que ser un plan infalible, porque si nos sale mal habremos metido la pata y agravaremos todavía más la situación de Yani.

—¡Ya está! —exclamó de pronto Amanda—. ¿Por qué no secuestramos a su mujer?

—¿Qué es secuestrar? —preguntó Yani perplejo.

—Quiere decir —explicó David— que cojamos a la mujer del alcalde y la encerremos en algún sitio y luego pidamos dinero a cambio de soltarla. A mí me parece una idea absurda.

—Bueno, pues tú todavía no has propuesto nada —dijo Amanda—, y no me parece que fuera imposible.

—Yo creo que no daría resultado, Amanda —dijo Yani con tristeza—. En primer lugar, esa mujer es muy grande y gorda y nos costaría mucho trabajo cargar con ella, y además yo creo que el alcalde se pondría muy contento de quitársela de encima. Y si cogemos a la mujer del alcalde y él no quiere recuperarla, va a ser un problema tremendo, porque es bien sabido que la alcaldesa come más que ninguna otra persona del pueblo.

—Además, no se puede ir por el mundo secuestrando a la gente —señaló David—. Va en contra de la ley.

—¡A la porra la ley! —dijo Amanda—. ¿Es que lo que Oizus le está haciendo a Yani no va en contra de la ley?

—No —dijo David—, eso se llama ejecutar sobre los bienes y es completamente legal.

—¡Ah! —dijo Amanda, un tanto chafada por la erudición de su hermano—. Bueno, pues me da igual, no veo razón para que no secuestremos a la mujer del alcalde. Al fin y al cabo, hasta aquí no llega prácticamente la ley.

—Está Menelous Stafili —dijo David.

Amanda soltó un graznido de risa coreada por Yani, pues era bien sabido que el policía local era demasiado bondadoso como para detener a nadie, y además al cabo de los años había cultivado con metódico empeño el arte de no hacer nada, por lo cual resultaba extremadamente difícil sacarle de la cama si por acaso alguna excepcional emergencia requería la puesta en acción de la ley y el orden.

—Pues si Menelous es la única ley que hay que temer —dijo Amanda riendo—, yo diría que podríamos secuestrar a todo el pueblo impunemente.

—Sí, pero a mí no me parece que la alcaldesa sea lo más adecuado —dijo David con seriedad.

—Ya sé —dijo Amanda—. Se lo consultaremos a papá.

—Ni se te ocurra. Sabes que inmediatamente nos impediría hacer una cosa así.

—No me refería a *contárselo,* ton-

44

taina —dijo Amanda exasperada—. Sólo averiguar qué piensa sobre el tema.

—No veo cómo lo vas a conseguir si no es contándoselo —dijo David.

—Tú déjamelo a mí —dijo Amanda—. Yo soy más diplomática que tú. Pero ahora tenemos que volver a casa a cenar, Yani. ¿No podrías venirte con nosotros a Hespérides mañana por la mañana, y seguimos hablando del asunto? Mientras yo tantearé a mi padre a ver qué piensa.

—De acuerdo —dijo Yani—, nos reuniremos en la playa por la mañana.

Los niños regresaron a la villa, discutiendo vehementemente en voz baja sobre los pros y los contras del secuestro. Al llegar encontraron encendidas las grandes lámparas de petróleo, que por las ventanas proyectaban un círculo de luz dorada sobre la terraza, donde ya estaba puesta la mesa para la cena.

—Ah, ya estáis aquí, hijos míos —dijo la señora Finchberry-White—. Ahora mismo iba a ir a buscaros. Agathi dice que la cena está lista. O por lo menos eso es lo que yo creo que dice, porque vuestro padre se ha negado a ir a la cocina a discutirlo con ella.

—Habiendo dos mujeres en la casa —retumbó el general, chupando su pipa con aire meditabundo—, verdaderamente no creo que sea de mi incumbencia el ir a la cocina para discutir los sórdidos detalles de qué es lo que vamos a comer.

—Bien dicho, papá —dijo Amanda, sonriéndole dulcemente—; tú estate aquí sentado. Yo me ocuparé de todo.

—Eres idiota —bisbiseó David, que la había seguido a la cocina, donde Amanda había ido a supervisar las actividades de Agathi.

—¿Por qué? —preguntó Amanda.

—Porque te estás pasando en eso de hacerte la niña buena —dijo David—. Si no te andas con cuidado, papá se olerá que pasa algo raro.

—Eso es una tontería —dijo Amanda—. Tú espera y verás.

Se sentaron a cenar en la terraza, y durante algunos minutos comieron tranquilamente y en silencio.

—¿Has pintado bien hoy, querido? —preguntó la señora Finchberry-White a su esposo. Tiempo atrás había renunciado a la idea de ver a su marido convertido en un verdadero pintor, y por eso ahora se refería a su pintura como si fuera un achaque.

—Otra obra maestra —reconoció el general—. Por cierto, este estofado está buenísimo.

—Gracias, querido —dijo la señora Finchberry-White muy complacida, aunque su participación en la preparación de la cena había sido nula.

—Dime, papá —preguntó Amanda—: si tú supieras pintar tan bien como Rembrandt, ¿qué harías?

—Estaría sumamente satisfecho —dijo el general.

—No, lo que quiero decir es que, si de pronto descubrieras que pintabas igual de bien que Rembrandt, ¿venderías tus cuadros?

—Por supuesto que sí —dijo el general muy sorprendido.

—Sí, pero ¿harías creer que eran originales de Rembrandt que habías encontrado en el desván? —preguntó Amanda.

David estaba cada vez más alarmado y perplejo ante los extraños rodeos que daba su hermana para plantear el problema que les preocupaba.

—Si yo hiciera creer que eran obras originales de Rembrandt —dijo el general reflexionando sobre la cuestión—, eso sería ilegal, de modo que los tendría que vender con mi nombre. Claro está que podría utilizar un pseudónimo, Rembranta, por ejemplo. Pero de no ser así, la cosa tendría todo el aspecto de una maquinación fraudulenta.

—¿Por qué unas cosas se consideran delito y otras no? —preguntó Amanda.

—Eso, hija mía —dijo el general—, es un problema que desde que el mundo es mundo viene atormentando a las sectas religiosas y a los filósofos, y por tanto yo en esta coyuntura, lleno de estofado, no me siento capaz de darte una respuesta rápida.

—Es que los delitos que hacen daño a alguien —continuó Amanda—, ya se entiende que son cosas malas, pero hay otras cosas que no le hacen daño a nadie necesariamente, y que sin embargo también se consideran delito.

—Hay momentos —dijo el general con resignación— en que me resultas casi tan incomprensible como tu madre.

—Quiero decir... —dijo Amanda, accionando con el tenedor—, pongamos..., hum..., pongamos el secuestro, por ejemplo. Suponiendo que no se hiciera daño a la víctima, ¿tú dirías que el secuestro es un *delito*?

El general se echó a la boca un gran bocado y lo masticó pensativo mientras meditaba la respuesta.

—En mi opinión —dijo por fin—, después del asesinato, la violación, la tortura y votar por el partido laborista, no hay delito peor.

David miró a su hermana con gesto satisfecho.

—Pero bueno —prosiguió el general, apartando su silla de la mesa y sacando la pipa del bolsillo—, ¿a qué viene ese interés repentino por las actividades más indecorosas de la raza humana? Espero que no estés pensando dedicarte en un futuro próximo al robo de gatos o algo por el estilo.

—No, era mera curiosidad —dijo Amanda—. Siempre nos has dicho que cuando tuviéramos alguna duda te preguntáramos.

—Lo malo es que cada vez que me preguntáis me asaltan las dudas a mí también —explicó el general, y con la pipa vacía ejecutó un ritmo rápido y complicado sobre su pierna de aluminio.

—Henry, querido, ¿no puedes dejar de hacer eso? —dijo la señora Finchberry-White.

—Es el ritmo de los tambores de los watusi —dijo el general—. Siempre lo tocan antes de atacar.

—Es muy interesante —dijo la señora Finchberry-White poco convencida—, pero no me parece bien que lo hagas en la mesa. Es darles un mal ejemplo a los niños.

—No veo que tenga ninguna relación con ellos —dijo el general—, que ni fuman ni tienen piernas de aluminio.

—Sí, pero cuando yo era joven —dijo la señora Finchberry-White— un caballero no hacía esas cosas en la mesa.

—Yo no soy ningún caballero —dijo tajantemente el general—. Ya lo sabías cuando te casaste conmigo, y hace veinte años que pierdes el tiempo intentando que lo sea. Te ruego que desistas de tan vano empeño.

Los niños dejaron a sus padres discutiendo amigablemente en la mesa y subieron a acostarse.

—Ya te avisé que no servía lo del

secuestro —dijo David según subían los chirriantes peldaños de madera, deformados y combados por el reúma de muchos inviernos.

—Bueno, pues ya se nos ocurrirá algo —dijo Amanda con firmeza—. Hay que resolver este problema. No podemos permitir que ese gordo horrible le quite a Yani todas las tierras. Al fin y al cabo no llegan a una hectárea, y con eso apenas tiene para vivir.

—Ya lo sé —dijo David—. Pero sigo diciéndote que tendrá que ser una buena idea, porque si metemos la pata será peor para Yani.

—Yo pensaré algo mañana por la mañana —dijo Amanda con gran dignidad; y, llevando en alto su quinqué con andares de princesa altiva, se metió en su habitación y cerró la puerta.

—¡No envidio al que se case contigo! —gritó David mientras seguía por el pasillo hacia su cuarto. Amanda abrió la puerta.

—¡Pues *contigo* ni siquiera habrá quien se quiera casar! —replicó, y volvió a cerrar. David quiso darle alguna respuesta lo bastante cortante pero no se le ocurrió nada, de modo que optó por irse a la cama y seguir dándole vueltas al problema de las lagartijas y los carros.

A la mañana siguiente se reunieron con Yani en la dorada playa, y los tres nadaron lentamente hasta Hespérides, parándose de vez en cuando para bucear y examinar algún pez extraño o un negro erizo de mar, replegado en alguna rendija de las rocas a poca profundidad, como los erizos de tierra en hibernación. Llegaron a la islita y subieron la escalinata, dejando huellas negras y húmedas que pronto secaba el sol. En la explanada de arriba se tendieron como estrellas de mar alrededor del pequeño pozo, y una vez más se concentraron en el problema de Yani.

—Mi padre dice —explicó Amanda— que el secuestro es un delito muy grave, así que no podemos secuestrar a la alcaldesa.

—Me alegro mucho de que así sea —dijo Yani—, porque ya os he dicho que pesa mucho para llevarla a cuestas y come lo que tres cerdos juntos.

—Anoche estuve pensando que en el pueblo nadie le tiene simpatía a Oizus, ¿verdad? —dijo David.

—No —dijo Yani—, la verdad es que a todos les resulta muy antipático. Pero va a ser alcalde durante cuatro años, así que le tienen que aguantar...

—Si pudiéramos hacer algo que pusiera al pueblo en contra de él, tal vez así entrara en razón —dijo David.

—Sí, pero ¿qué? —preguntó Yani.

Los tres se devanaron los sesos. Por fin Yani se puso en pie y con una gran sonrisa se dirigió a Amanda, toda rubia y deslumbrante al sol.

—¿Quieres un trago? —le preguntó.

—¿Un trago? —repitió ella—. ¿De dónde?

—Del pozo —dijo Yani, chispeantes de hilaridad sus ojos.

—Pues no, la verdad —dijo Amanda con gesto severo—. No tengo ninguna gana de coger el tifus.

—¡Ah, no! —dijo Yani—. ¡Mira!

Y acercándose al pozo levantó la gran tapa de hierro que lo cubría. Luego tiró de la cuerda. Se oyó un chapoteo, un gorgoteo y un entrechocar de vidrios, y de las frescas profundidades del pozo Yani extrajo un cubo en el que reposaban unos botellines de limonada. De debajo de una piedra que había junto al pozo sacó un abridor, abrió un botellín y se lo ofreció a Amanda con airoso ademán.

—Pero ¿cómo han llegado hasta ahí? —preguntó Amanda atónita.

Yani le dirigió su ancha y simpática sonrisa.

—Esta mañana vine a nado con ellas —dijo—, muy temprano, y las bajé al pozo para que estuvieran frías. Así que no vas a coger el tifus, ¡eh!

—Eres muy bueno, Yani —dijo Amanda, y sus ojos se llenaron de lágrimas—. Me gustaría que pudiéramos hacer algo por ayudarte.

Yani se encogió de hombros filosóficamente.

—Si no se puede, no se puede —dijo—. Pero por lo menos lo habéis intentado. Eso demuestra que sois mis amigos.

Amanda se bebió el refresco y luego volvió a tumbarse al sol, dándole vueltas al problema de Yani, mientras David y Yani discutían sobre el problema de arrastrar carros con lagartijas. El aire llevaba hasta la islita lejanos sonidos de Melisa: la voz cascada de una campesina vieja que saludaba a otra, la voz de un gallo que hacía sus primeros pinitos de canto con bastante torpeza, el ladrido de un perro y luego el lúgubre y familiar rebuzno de un burro.

Amanda se incorporó de pronto.

—¡Callaos! —bisbiseó a los niños—. ¡Escuchad!

Ellos interrumpieron su conversación y escucharon pacientemente durante un par de segundos, pero no se oía otra cosa que el lamentoso rebuzno del burro.

—¿Qué es lo que hay que escuchar? —preguntó al fin David.

—*Eso* —dijo Amanda, sobre cuyo rostro se extendió una sonrisa beatífica al mismo tiempo que cesaban las últimas notas dolientes del rebuzno.

—Pero si no es más que un burro —dijo Yani, perplejo.

—«No es más que un burro» —repitió Amanda—. ¿Has dicho que *no es más* que un burro? Pues *ahí* tienes la solución de tu problema.

—¿De qué hablas? —dijo David irritado—. ¿Cómo va a resolver sus problemas un burro que rebuzna?

Amanda se volvió hacia ellos, con el rostro encendido y los ojos casi negros.

—¿Pero es que no lo entendéis, cabezas de chorlito? —preguntó—. Estábamos intentando dar con algo que pusiera al pueblo en contra del alcalde, y ahí lo tenéis.

—Pero ¿cómo puede poner un burro al pueblo en contra del alcalde? —dijo Yani, hecho un lío.

Amanda suspiró con el corto suspiro de exasperación de la mujer que tiene que tratar con la necedad de los hombres.

—Atended —dijo—. Todos los campos del pueblo están al pie del monte, en la llanura. ¿Cómo se las arregla la gente para trabajar esas tierras y recoger la cosecha y llevarla al pueblo?

—Con los burros, con qué va a ser —dijo Yani perplejo.

—¡Pues ya está! —dijo Amanda con aire triunfante—. ¡Llévate a los burros y paralizarás a todo el pueblo, y a eso no se le puede llamar secuestro porque son burros y no personas!

—¡Qué bonito! —dijo Yani, echándose a reír.

—Pues a mí me parece una idea muy sensata —dijo David—. Habría que estudiarlo.

—No sé por qué tienes esa manía de

estudiar todas las cosas —dijo Amanda—.
No se trata de estudiarlas, sino de *hacerlas*.

—Pero bueno, vamos a ver, ¿cuál es
tu idea? —preguntó David.

—Os la voy a explicar —dijo
Amanda, y se inclinó hacia ellos con la
mirada encendida.

Capítulo 4

Reconocimiento

—Lo primero es averiguar cuántos burros hay en el pueblo —dijo Amanda—. ¿Tú sabes cuántos hay, Yani?

Yani se encogió de hombros.

—No lo sé exactamente —dijo—. Nunca los he contado. Unos veinte, quizá.

—Pues tenemos que estar absolutamente seguros de cuántos son —dijo Amanda—, porque no tendría sentido llevarnos sólo la mitad.

—Sigo sin ver a dónde quieres ir a parar —dijo David dudoso.

—Cállate y escucha —dijo Amanda—. En cuanto averigüemos cuántos burros hay, organizamos una redada gigantesca para cogerlos a todos a la vez.

—Tú estás loca —dijo David muy convencido.

—Mira, si los cogemos de uno en uno —dijo Amanda—, cuando nos hayamos llevado tres o cuatro los dueños de los

demás estarán ya preocupados y encerra-
rán a los suyos bajo llave. Tenemos que
cogerlos a todos a la vez.

—Sigo sin ver cómo vamos a coger
a veinte burros de una vez —dijo David—.
Y además, cuando los tengas, ¿qué haces
con ellos?

—Meterlos en algún sitio del monte
—dijo Amanda alegremente.

—No me parece muy buena idea
—dijo Yani—, porque prácticamente no
hay por aquí ningún sitio donde se pudie-

ran esconder veinte burros y que no los encontrara nadie. Tendría que ser un sitio que a nadie se le ocurriese.

—¡Ya está! —exclamó Amanda, con un brillo en los ojos—. ¡Los traemos aquí!

—¿A Hespérides? —preguntó David—. Ahora *sí* que no me queda la menor duda de que te has vuelto loca. ¿Cómo íbamos a traerlos hasta aquí?

—¿Cómo venimos *nosotros*? —dijo Amanda—. Nadando.

—Sí, pero ¿los burros *nadan*? —preguntó David.

Los dos miraron a Yani con expectación, pero Yani se encogió de hombros.

—No lo sé —dijo—. No se me ha ocurrido nunca pensarlo. Nosotros no los usamos para nadar. Pero desde luego si los escondiéramos aquí a nadie se le pasaría ni remotamente por la imaginación venir a buscarlos a esta isla. Es una idea muy buena.

—Yo creo que es un plan absolutamente descabellado desde el principio hasta el final —dijo David.

—¿Por qué no intentarlo? —dijo Amanda.

David consideró la idea atentamente. Cuanto más pensaba en aquel plan más arriesgado le parecía, y sentía un ligero mareo al imaginarse las iras de su padre si les descubrían. Pero por más que lo intentaba no se le ocurría ninguna alternativa a la idea de Amanda.

—Está bien —dijo a regañadientes—. Pero con una condición: que me dejes a mí la organización y no hagas ninguna tontería. Esto hay que llevarlo lo mismo que una operación militar, y lo primero que hay que hacer es averiguar cuántos burros hay en el pueblo. Lo segundo es averiguar si los burros nadan, porque si no saben nadar el plan no vale.

—Bueno, los caballos nadan —señaló Amanda.

—Ya lo sé. Pero eso no quiere decir que los burros naden también —dijo David—. Vamos a ver, cada uno de nosotros tiene que tener una misión para así poder repartirnos. Antes que nada, tú y Yani y Coocos, si podéis echar mano de él, vais al pueblo y contáis los burros. Mientras tanto yo pensaré un plan para que podamos averiguar si nadan o no.

—¿No sería suficiente con que nos lleváramos uno a la playa y lo metiéramos en el agua? —sugirió Amanda.

—No se puede —dijo David—, porque si alguien nos viera se descubriría todo el pastel. Yo pensaré algo. Ahora vamos a volver y tú y Yani y Coocos os ponéis a contar.

Muy emocionados, los niños hicieron la travesía de vuelta y subieron la ladera camino del pueblo.

Ahora que había aceptado la idea básica de Amanda, la verdad es que a David le tenía muy animado todo el asunto. Reconoció para sí que organizar aquello era infinitamente más interesante que hacer cálculos complicados sobre lagartijas y carros. Así que durante el resto del día no hizo otra cosa que pensar en la manera de averiguar si los burros nadaban, en tanto que Amanda, Yani y Coocos, armados de lápiz y cuaderno, recorrían solemnemente el pueblo haciendo una lista de los burros que poseía cada cual. El interés que mostraron por las bestias de carga de todos conmovió verdaderamente a los lugareños.

—Es una suerte que ninguno de los burros tenga crías —dijo Yani cuando ya casi habían terminado—, porque me imagino que sería muy complicado llevarlas hasta la isla.

—¡Bah! —dijo Amanda, desechando esa idea con un gesto—. Siempre habría la posibilidad de pasarlas en barca.

Cuando terminaron resultó que el pueblo tenía dieciocho burros y un potro. Cinco de los burros y el potro, según descubrieron con gran satisfacción, pertenecían al alcalde.

—A él le estará muy bien empleado que le robemos —dijo Amanda—. Apuesto a que cuando se entere sudará todavía más de lo que suda ahora.

A la hora de las luciérnagas los niños celebraron otro consejo de guerra en los olivares. Amanda informó a David del número de burros, y también, cosa más importante, de dónde se guardaba cada uno por la noche.

—Va a ser un poco difícil —dijo David muy serio, estudiando la lista—. Yo diría que probablemente podríamos coger nueve o diez en una noche, pero no estoy del todo seguro de cómo nos las vamos a arreglar con los demás.

—Bueno, pero después del alcalde el que tiene más es Papa Nikos —dijo Amanda.

—Y siempre se levanta muy, muy temprano para ir al campo —dijo Yani—. A lo mejor se los podríamos coger allí.

—De todos modos —dijo Amanda, impaciente—, ¿se te ha ocurrido a ti cómo podemos averiguar si nadan?

—Sí —repuso David, bastante ufano—. Se me ha ocurrido una idea muy buena. ¿Sabéis ese canal que hay antes de llegar a los campos, donde el puentecito de madera?

—Sí —dijo Amanda.

—Pues si pudiéramos sabotearlo de alguna manera, de forma que cuando alguien lo cruce en burro se hunda, averiguaríamos si el burro sabe nadar, y al mismo tiempo, como el canal es poco profundo, si no sabe nadar podríamos sacarlo.

—David, eso sí que es una idea inteligente —dijo Amanda, con los ojos chispeantes.

—Pero ¿cómo se sabotea el puente? —preguntó Yani.

—Pues esta tarde he bajado a inspeccionarlo —dijo David—. La verdad es que está tan desvencijado que no hay que hacer gran cosa. Yo creo que con sólo aserrar los dos puntales del centro, cualquiera que pase por ahí hará que todo se venga abajo.

Amanda, muy regocijada, soltó un graznido de risa.

—Eres listo, David —dijo con admiración—. Me muero de ganas de hacerlo. ¿Cuándo va a ser?

—Cuanto antes mejor —dijo David—. He pensado que podríamos prepararlo esta noche, ya que no hay luna. Mañana por la mañana nos levantamos muy pronto y bajamos a observar. Lo malo es que me parece que no hay ningún serrucho en casa.

—Yo tengo un serrucho —dijo Yani con gran animación—. Yo lo llevo.

—Y tú, Coocos —dijo David, señalando severamente con un dedo al chico del sombrero hongo—, acuérdate de que no puedes decirle a nadie ni una palabra de esto.

Coocos sacudió la cabeza con energía y se santiguó.

—No, Coocos no dirá nada porque es amigo mío —dijo Yani.

Aquella noche los niños salieron de sus alcobas y bajaron la escalera sigilosamente. Con cada crujido se llevaban un sobresalto, por temor de que el general se despertara y descargara sobre ellos todas sus iras. Al fin salieron de la casa sin que sus padres lo notaran, y, en compañía de Yani y Coocos, tomando precauciones infinitas e innecesarias para no ser vistos, bajaron hasta el puentecito que cruzaba el cenagoso canal al borde de los maizales. David se quitó la ropa y tras echarse al agua desapareció debajo del puente, habiendo situado a los demás en puntos

estratégicos para que le avisaran si alguien
oía el ruido del serrucho y se acercaba a
investigar. Luego puso manos a la obra.
En muy poco tiempo, porque la madera
estaba blanda y semipodrida, consiguió
aserrar de lado a lado los dos puntales que
sostenían el centro del puente. Después los
sacó de su sitio y los volvió a hincar en el
lodo, de forma que a primera vista parecie-
ra que todavía sostenían el puente, aunque
en realidad eran completamente inútiles.
Hecho esto se encaramó a la orilla, se
quitó cuidadosamente el barro de las piernas, se vistió y todos regresaron a sus
casas.

La luz del amanecer había teñido el
cielo de verde y rosa perlado, y todavía se
veían en él unas pocas estrellas, cuando
David entró en el cuarto de Amanda y la
despertó. Al salir encontraron a Yani y
Coocos, y todos juntos, respirando el aire
fresco de la mañana, se dirigieron al puentecito. A una distancia conveniente crecían
varios macizos grandes de cañas, que ofre-
cían magnífico escondite desde el cual
observar el resultado de su experimento, y
allí se acomodaron y esperaron en silencio
a que apareciera el primer aldeano.

Tal vez fuera una desdichada casualidad que el primero en dirigirse al puente
aquella mañana fuera el propio alcalde.
Desde luego era quien menos se habrían
imaginado los niños, pues lo normal era
que Oizus se pasara la mayor parte del

tiempo sentado en el café, mientras su señora cargaba con todo el trabajo del campo. Pero el día anterior la alcaldesa se había quejado de que algún extraño animal parecía estar echando a perder la cosecha de maíz, por lo cual el alcalde tomó la insólita decisión de ir él mismo a ver qué pasaba. Y, para ahorrarse la ardua tarea de caminar, resolvió ir a lomos de uno de sus burros.

—¡San Policarpo! —susurró Yani, abriendo mucho los ojos—. ¡Si es el alcalde!

—¡Fenomenal! —dijo Amanda, y se echó a reír por lo bajo.

—¡Cállate! —bisbiseó David—. Nos va a oír.

—Se va a poner hecho una furia —dijo Yani.

—Le está bien empleado —dijo Amanda—. Esto es lo que mi padre llamaría «justicia natural».

Contemplaron cómo el burro, con gran resignación teniendo en cuenta el peso del alcalde, bajaba la cuesta a paso lento, clip-clop, y se dirigía al puente. Era muy temprano, y el alcalde, que no estaba acostumbrado al esfuerzo físico de cabalgar en burro al amanecer, iba cabeceando adormecido sobre su montura. El burro llegó al puente. Los niños contuvieron la respiración. Subió al puente, y David lo observó con la más angustiosa zozobra, porque no estaba del todo seguro de que el sabotaje diera resultado. Pero cuál no sería su contento cuando, al llegar el animal al centro del puente, todo él cedió dando un crujido de lo más satisfactorio, y burro y jinete se precipitaron al agua en medio de una espectacular rociada, acompañada de un reconfortante alarido de terror por parte del alcalde.

—¡Ha resultado! —dijo David, brillantes de emoción sus ojos—. ¡Ha resultado!

—¡Absolutamente maravilloso! —exclamó Amanda, embelesada.

—Lo has hecho muy bien, David —dijo Yani.

En seguida descubrieron dos cosas: que el burro nadaba estupendamente, y no tardó en salir del canal, y que el alcalde no sabía nadar.

—¿Qué hacemos? —dijo Yani—. No vamos a dejar que se ahogue. Hay que ir a ayudarle.

El alcalde se había agarrado a un madero del puente y pedía socorro con toda la fuerza de sus pulmones, aunque bien sabía que a aquella hora de la mañana era bastante improbable que hubiera nadie por los alrededores. Invocó a los santos varias veces y trató de santiguarse, pero si se santiguaba tenía que soltar el madero, que era lo único que le separaba de una tumba acuática.

—Yani no puede ir a ayudarle porque si ve a Yani se dará cuenta —dijo Amanda—, así que vamos nosotros.

Amanda y David corrieron por la orilla hacia el alcalde naufragado.

—¡No se apure, señor alcalde! —gritó Amanda—. ¡Ya vamos!

—¡Salvadme! ¡Salvadme! —chilló el alcalde.

—Deje de gritar, que ya vamos —dijo David irritado.

Corrieron por el borde del canal y se tiraron al agua.

—¡Que me ahogo! —gritó el alcalde con voz tan lastimera que a Amanda le dio un ataque de risa floja.

—Tranquilícese —dijo David tratando de calmarle—. No ha pasado nada.

Uno a cada lado del corpulento alcalde, le sostuvieron por debajo de los brazos y le arrastraron, empapado y cubierto de lodo y hierbajos, hasta la orilla, a la cual se encaramó de modo semejante a como una morsa bastante torpe se subiría a un iceberg. Tan cómico era su aspecto que Amanda tuvo que refugiarse detrás de un olivo para poder reírse a sus anchas, y ni siquiera David conseguía mantener la cara seria cuando tiernamente interrogó al alcalde sobre su estado físico.

—Me habéis salvado la vida —dijo el alcalde, santiguándose varias veces con gran rapidez—. Sois unos niños muy valientes y me habéis salvado la vida.

—Bah, no ha sido nada —dijo David quitándole importancia—. Pasábamos por casualidad y le oímos gritar. Ibamos a..., íbamos a darnos un baño antes de desayunar.

—Ha sido la misericordia de Dios lo que os ha hecho pasar por aquí —dijo el alcalde, quitándose un hierbajo del bigote—. Sin duda ha sido la misericordia de Dios.

—¿Qué hacía usted levantado tan temprano? —dijo David en tono de reproche.

—Tenía que ir al campo a ver cómo está el maíz. Esto demuestra que no hay que hacer tonterías. Hace muchísimo tiempo que había que haber arreglado este puente. Se lo tengo dicho —jadeó, faltando totalmente a la verdad—. Ahora tendrán que hacer algo con él.

Fue una suerte que el burro hubiera salido a tierra en la misma orilla que el alcalde, donde se puso a pastar plácidamente bajo los árboles. Amanda y David izaron al enlodado y empapado Oizus al lomo de su montura y le acompañaron hasta el pueblo.

—Ahora ya sabemos dos cosas —dijo Amanda en inglés, para que el alcalde no se enterara—. Una, que los burros nadan, y otra, que los alcaldes no.

Y una vez más le dio la risa.

—Cállate, tonta —bisbiseó David—. Como sigas así va a sospechar que pasa algo raro.

Cuando llegaron al pueblo ya se había levantado todo el mundo, y los lugareños se quedaron boquiabiertos a la vista de su primer ciudadano, que entraba en la plaza mayor rebozado en lodo de pies a cabeza y dejando tras de sí un reguero de agua. Inmediatamente, como por arte de magia, se congregó casi toda la población. Aparte de que les daba bastante gusto ver al alcalde en aquel estado lamentable, es que en el pueblo no había ocurrido nada emocionante desde que, tres años atrás, el viejo Papa Nikos se emborrachara y se cayera a un pozo, del cual fue sacado con suma dificultad.

El alcalde, dispuesto a sacar el máximo partido de lo ocurrido, descabalgó penosamente y se arrastró con paso vacilante hasta la silla más próxima del café. Se daba cuenta, como se la habría dado cualquier griego, de que aquella situación encerraba magníficas posibilidades dramáticas. Respiraba con fatiga, se desmayó varias veces y hubo de ser reanimado con *ouzo**, y al principio sus palabras eran tan incoherentes que los aldeanos se consumían de ganas de saber qué había pasado exactamente. Por fin, entre muchos aspavientos y santiguamientos, el alcalde contó su historia, y, aunque los presentes debían ser cerca de doscientos, allí se habría oído el vuelo de una mosca. Parecía como si el pueblo entero estuviera conteniendo la respiración para que nadie se perdiera ni una palabra del emocionante relato. Cuando el alcalde llegó a la parte del rescate, los lugareños se quedaron embelesados. ¡Imagínate! ¡Rescatar al alcalde los niños de los ingleses! Más tarde, cuando se comentara el incidente, la opinión general coincidiría en que, bien mirado, era una pena que le hubieran rescatado, pero en aquel breve instante no se pensó en eso. Amanda y

---

* Bebida alcohólica griega que se toma diluida con agua *(N. del T.)*.

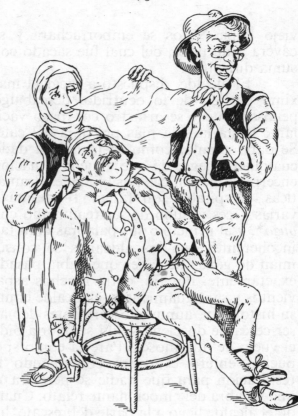

David eran los personajes del día. Recibieron abrazos y besos, y fueron atiborrados de vino y de unas horribles conservas pegajosas que gozaban de alta estima entre la población de Kalanero. Ni que decir tiene que Amanda y David estaban la mar

de azorados y se sentían muy culpables, y
se les notaba en la cara, pero los aldeanos
atribuyeron su expresión a la natural mo-
destia inglesa.

Por fin, luego de ser abrazados y
besados en ambos carrillos por el alcalde,

que debido al lodo empezaba a oler un poco mal, se vieron libres de los felices aldeanos y regresaron a la villa, acompañados de gritos de «¡Bravo!» y «¡Adiós, valientes!» y otras aclamaciones por el estilo.

Al llegar a la villa encontraron a sus padres en mitad del desayuno. Después de cambiarse de ropa, se sentaron a la mesa tan disimuladamente como pudieron.

—Ah, estáis aquí —dijo la señora Finchberry-White—. Ahora mismo iba a salir a buscaros.

—Tengo entendido —dijo el general, masticando grandes cantidades de tostada— que acabáis de tener el honor un tanto discutible de salvar la vida de nuestro alcalde.

—¿Cómo te has enterado? —preguntó Amanda, sobresaltada.

—Hay muchas cosas —dijo el general—, como los Secretos de la Vida por ejemplo, que un padre no debe confesar a sus hijos; y una de ellas son sus fuentes de información.

—No ha sido nada en realidad —se apresuró a decir David—. Es que el puente cedió y él se cayó al agua y no sabe nadar, así que nosotros le sacamos.

—¡Una noble acción! —dijo el general—. Al fin y al cabo, no pesa poco.

—¿Quieres un poco más de mermelada? —preguntó Amanda, deseosa de desviar la conversación hacia otros temas.

—No, muchas gracias —dijo el general.

Y, sacando la pipa del bolsillo, ejecutó un rápido tamborileo sobre su pierna.

—¿No puedes dejar de hacer eso, Henry? —dijo la señora Finchberry-White.

—Así tocan los tambores los watusi cuando el ataque ha fracasado —dijo el general—. Lo recuerdo como si lo estuviera viendo. Eramos cinco; estábamos aislados en un altozano, y nos atacaron al amanecer. Eran unos hombretones enormes, todos de más de un metro ochenta, con escudos de piel de cebra y largas y finas azagayas. Venían en tal número que allá abajo la llanura estaba negra, como si fueran hormigas. Disparamos hasta que los rifles se pusieron al rojo vivo, y al fin conseguimos rechazarles; allí fue donde perdí la pierna.

—No, querido —dijo la señora Finchberry-White—; la perdiste cuando te caíste en el sótano de los Westbury.

—Querida —dijo malhumorado el general—, me encantaría que no tuvieras esa manía de estropear las buenas anécdotas corrigiéndolas con una dosis de verdad.

El general había perdido su pierna en tal diversidad de circunstancias, tiempos y lugares que ya sus hijos prestaban muy poca atención a sus anécdotas.

David tenía otra cosa en que pensar: un problema que expuso a Amanda tan pronto como, acabado el desayuno, pudo hablar a solas con ella.

—¿Y si los burros rebuznan? —preguntó.

—¿Cómo que si rebuznan? —dijo Amanda—. ¿Qué quieres decir con eso?

—Quiero decir que si reunimos a todos los burros en Hespérides y se ponen a rebuznar, entonces todo el mundo sabrá dónde están.

Amanda reflexionó sobre la cuestión con el ceño fruncido, pero en seguida dijo:

—No hay por qué preocuparse. Al fin y al cabo, los burros sólo rebuznan para llamarse entre sí. Es como una manera de hablar un burro con otro que está al otro extremo del valle, pero si están todos juntos y en tierra firme no queda ninguno con quien hablar, supongo que se estarán callados.

—Esperemos que así sea —dijo David—. Ahora vamos a ver a Yani y a celebrar otro consejo de guerra.

Capítulo 5

El secuestro

Los niños se reunieron en la casita encalada de Yani y se sentaron a la sombra de la parra, bebiendo limonada. Coocos estaba en un estado de gran excitación porque su jilguero había puesto un huevo, que él llevaba cuidadosamente metido en el bolsillo de la camisa con la esperanza de incubarlo. Dado que el jilguero (*la* jilguero) no había tenido ocasión de relacionarse con ningún otro jilguero, los niños pensaron que la probabilidad de llegar a un feliz resultado era muy escasa, pero no se lo dijeron a Coocos por no disgustarle.

—Bueno —dijo Amanda—, ¿cuándo entramos en acción?

—He decidido que hay que esperar hasta que haya luna llena —dijo David.

—Pero para eso faltan todavía diez días —protestó Amanda.

—Me da lo mismo —dijo David, testarudo—, tiene que ser con luna llena.

Hay que tener luz suficiente para ver bien, y los diez días que faltan no serán tiempo perdido porque tenemos muchísimas cosas que hacer. Acordaos de que no podemos cometer ninguna equivocación.

—Yo estoy de acuerdo con David —dijo Yani—. Me parece esencial que lo hagamos con luna llena, porque si no todo será el doble de difícil.

—De acuerdo —dijo Amanda de mala gana—, pero ¿qué vamos a hacer hasta entonces?

—Pues lo primero que hay que hacer —dijo David— es llevar comida a la isla para alimentar a los burros cuando los tengamos allí. No sabemos cuánto tiempo habrá que tenerlos. No lo podemos llevar todo de una vez porque eso levantaría sospechas, así que cada día, de poquitos en poquitos, iremos llevando forraje y maíz.

—Algunas veces lo podrá hacer Coocos de noche —sugirió Yani—. Nadie se fija en lo que hace.

—Es una buena idea —dijo Amanda, y Coocos le dirigió una amplia sonrisa.

—Después —dijo David—, tendremos que practicar un poco para que luego por la noche sepamos exactamente qué es lo que estamos haciendo.

—Sí, eso me parece muy importante —asintió Amanda—. Si no nos haremos un lío y todo saldrá mal.

Conque a lo largo de los diez días siguientes los cuatro niños fueron trasladando a Hespérides, disimuladamente y sin llamar la atención, la suficiente cantidad de forraje para tener contento al burro más exigente durante por lo menos una semana. También organizaron un sistema de comunicación imitando las llamadas de los búhos, con mensajes distintos según el número de llamadas. Escogieron el mejor camino desde el pueblo hasta la playa que había frente a Hespérides y lo recorrieron en un sentido y en otro hasta que llegaron a conocer cada una de sus piedras y recodos. También recorrieron el pueblo una y otra vez para comprobar dónde se encerraba a los burros por la noche.

Y por fin la luna, que había sido un mero hilo de plata en el cielo, creció y se puso redonda y se alzó sobre el mar teñida de rojo sangre, y supieron que había llegado el momento de la gran aventura.

—Mamá, ¿te importaría que pasáramos la noche acampados? —preguntó Amanda una mañana—. Está ahora la luna tan bonita, que hemos pensado que podríamos bañarnos por la noche.

—Claro que podéis, hija —dijo la señora Finchberry-White—. Os preparo algo de comida, ¿verdad? Y no se os olvide llevaros una manta y todas esas cosas.

—No te molestes, yo lo organizaré todo —dijo Amanda.

—¿A dónde pensáis ir? —preguntó

el general, mientras añadía un toque de color violeta a un desdichado ciprés—. No es que me interese demasiado, pero será útil saberlo por si tengo que enviar a alguien a rescataros de un tiburón o algo así.

—No pensamos ir muy lejos —dijo David—. A la playa que hay enfrente de Hespérides.

Amanda preparó comida en cantidad suficiente para ellos dos, Yani y Coocos, y por darle un tinte de verosimilitud a aquella historia (y que su madre se quedara tranquila) lió un par de mantas y (ante la insistencia de su madre) un par de sábanas. A las cinco de la tarde los niños bajaron cargados con sus cosas hasta la playa, donde les estaban esperando Yani y Coocos. Allí encendieron una hoguera con las astillas que recogieron en la propia playa y asaron unos pescados mientras esperaban que oscureciese y saliera la luna. Habían decidido dejar la hoguera encendida para que si pasaba alguien diera la impresión de que todavía estaban en la playa, y además les serviría de faro señalando el punto exacto más próximo a Hespérides. David se había pasado dos días calculándolo con ayuda de una cuerda de tender e interminables fórmulas matemáticas.

Los niños aparentaban tomárselo con mucha indiferencia, pero todos tenían los nervios en tensión, y Amanda, aunque por nada del mundo lo habría querido confesar, se notaba incluso un poco mareada. Al fin la luna, redonda y roja como una gota de sangre, despuntó sobre el horizonte del mar y lentamente se elevó en el cielo, cambiando poco a poco de color, del bronce al oro y finalmente al plata.

—Bueno —dijo David, con aire despreocupado—, creo que ya es hora de que nos pongamos en marcha.

—Sí —dijo Amanda, tragando saliva.

—¿Seguro que todos sabemos lo que tenemos que hacer? —preguntó David.

Coocos asintió vigorosamente con la cabeza, y también lo hicieron Yani y Amanda. Al fin y al cabo, llevaban diez días haciendo prácticas.

Habían decidido que su primer objetivo fueran los burros del alcalde. Parecía lo más justo, y además era él el propietario del mayor número de burros en el pueblo. Así pues, ascendieron la ladera y se acercaron con infinito sigilo a la casa del alcalde. Oizus guardaba su potro y sus burros en un pequeño cobertizo que había a espaldas de la casa. Mientras Amanda se escondía detrás de un olivo dispuesta a dar la alarma si de improviso aparecía el alcalde, los demás se dirigieron a la trasera de la casa. La puerta del establo era vieja y se cerraba con una pesada tranca de madera, lo cual les dio bastante trabajo, pues hubo que levantar la tranca con infinitas precauciones para no hacer ruido y abrir la puerta centímetro a centímetro para que no chirriara. Luego hubo que sacar uno por uno a los burros, que no tenían ninguna gana de salir, y atarlos unos a otros, y por último atar al potro delante de todos para que guiara a la recua. Por fin los condujeron a todos al olivar, donde Amanda les esperaba desbordante de emoción.

—¡Los habéis sacado! —susurró muy excitada—. ¡Es maravilloso!

—No cantes victoria antes de tiempo —dijo David seriamente—. Ahora tú, Coocos, montas el caballo, te llevas este lote a la playa, los dejas allí atados y vuelves.

—Pensándolo bien —dijo Amanda meditabunda—, ese caballo nos podría ser muy útil. Con él Coocos podría ir y venir mucho más deprisa.

—Sí, tienes toda la razón —dijo Yani—. Sería muy útil, y además me da la impresión de que a los burros les gusta seguirle.

Conque Coocos fue despachado a la playa con los cinco burros del alcalde y los demás aguardaron su regreso.

Mientras estaban esperando, David volvió a escurrirse hasta la casa del alcalde y clavó en la puerta del establo un cartelón que le había pedido a Yani que escribiera en griego, y que en letras mayúsculas bastante temblorosas decía: BURROS DEL MUNDO, UNIOS.

—Así tendrán algo en que pensar —dijo David satisfecho, una vez que hubo dejado el cartel bien clavado a la puerta del establo.

En un santiamén reapareció Coocos a lomos del potro del alcalde, y los niños reanudaron la operación. En bastantes casos la tarea no podía ser más sencilla, pues el burro estaba simplemente atado a un olivo a propósito y bastaba con desatarlo y llevárselo.

Pero la cosa se puso un poco más difícil con los burros de Filimona Kouzos. Kouzos era famoso por ser el hombre más cobarde del pueblo, y toda precaución le parecía poca para protegerse a sí mismo y a su ganado de los innumerables desastres que según él le acechaban en todo momento. En consecuencia, de noche encerraba a sus dos burros en un cobertizo cuya puerta quedaba bien asegurada con un candado antiguo y de buen tamaño. Amanda y David lo habían examinado y habían descubierto que con un destornillador se podía quitar todo el candado, pero esa operación llevaría cierto tiempo. Así que Yani esperó frente a la casa por ver si salía Kouzos mientras Amanda y David trabajaban con el destornillador. Estaban sacando el último tornillo cuando a David se le escurrió el destornillador de entre las

manos sudorosas. No habría pasado nada si no fuera porque la herramienta fue a caer ruidosamente sobre un cubo puesto del revés que había junto a la puerta del establo. Los niños se quedaron petrificados y contuvieron la respiración; en medio de la noche silenciosa, el golpe del destornillador contra el cubo había sonado como la explosión de una bomba. Dentro de la casa se oyeron movimientos y murmullos.

—¡Deprisa! —bisbiseó David—. ¡Saquemos a los burros!

De pronto Yani vio a Filimona Kouzos, en calzoncillos y gruesa camiseta de lana, enmarcado por el umbral de su casa. Iba armado de un farol y una escopeta.

—¿Quién anda ahí? —dijo con voz temblorosa—. ¡Quieto o disparo!

Como Kouzos era tan famoso por su mala puntería como por su cobardía, aquello le hizo reír a Yani. Exhaló un par de fuertes gemidos, y adoptando un tono de voz chirriante y entrecortado dijo:

—¡Soy Viraclos, Kouzos! ¡He venido a chuparte la sangre y llevarme tu alma!

Kouzos, que en su fuero interno siempre había pensado que algún día ocurriría una cosa así, del susto dejó caer el farol, que se apagó en seguida.

—¡San Policarpo me proteja! —gritó con fuerte voz—. ¡Dios mío, socórreme!

—¡No te servirá de nada! —dijo

Yani, soltando una horrible risotada—. ¡Vengo a llevarme tu alma!

Entre tanto Amanda y David, ya dentro del establo, trataban de sacar a los dos burros de Kouzos. Los animales habían tenido un día de mucho trabajo, y, comprensiblemente, no les entusiasmaba la idea de ser desalojados de un establo cómodo y calentito, seguramente para tener que hacer un turno de noche. Así que costó muchísimo trabajo sacarlos, pero

Yani estaba haciendo delante de la casa una imitación tan excelente de Viraclos que tenía a Kouzos invocando a todos los santos del calendario, por lo que el poco ruido que hacían los niños empujando, tirando y arrastrando a los burros pasó inadvertido. Tan pronto como Yani les vio desaparecer en la arboleda con los burros, exhaló unos cuantos gemidos más para dejar contento a Kouzos y les siguió a toda velocidad.

Así, cuando por el este el horizonte empezó a palidecer hacia el alba verdosa, tenían reunidos en la playa a todos los burros del pueblo menos cuatro. Los cuatro que faltaban eran los pertenecientes a Papa Nikos, y eran los que más le habían preocupado a David, pues debido a la posición del establo era imposible robarlos de casa de Papa Nikos. Pero Yani había anunciado, no sin cierto misterio, que tenía un sistema para hacerse con ellos.

—Yo creo que hemos hecho maravillas —dijo Amanda, contemplando con satisfacción la recua de catorce burros deprimidos y un potro.

—Todavía no hemos acabado —señaló David.

—¿No os parece que deberíamos pasar este lote a Hespérides? —preguntó Amanda—, y así luego sólo tendremos que ocuparnos de los de Papa Nikos.

—Sí, es lo más sensato —dijo Yani.

Desde el primer momento, todos los burros se habían mostrado bastante reacios a salir de noche. Ahora bien, ya que el destino había decretado que fueran desalojados de sus confortables establos y conducidos a la playa en mitad de la noche y obligados a permanecer allí, lo aceptaron con su acostumbrada mansedumbre. Pero cuando descubrieron que se pretendía hacerles entrar en el agua y nadar, su desaprobación fue unánime. Cocearon, corcovearon, y uno de ellos llegó incluso a soltarse y tuvo la increíble osadía de echar a correr por la playa, perseguido de cerca por los niños. Por fin le agarraron y le volvieron a atar con los demás.

La resistencia que opusieron los burros a bañarse en el mar al amanecer fue tan fuerte que se tardó más de una hora en pasarlos a Hespérides. Una vez allí se encaramaron a tierra, se sacudieron vigorosamente y exhalaron suspiros profundos y lúgubres para manifestar su irritación y su repulsa de todo aquel trajín. Uno por uno los subieron los niños con cuidado por los escalones hasta la pequeña explanada que rodeaba la iglesia. Allí los ataron y le sirvieron a cada uno comida suficiente para tenerle distraído, y después regresaron a nado a la costa para ocuparse de la última parte del secuestro.

—Aquellos dos sembrados son los de Papa Nikos —susurró Yani cuando ya estaban cerca, escondidos detrás de un macizo de cañas—. Suele atar los burros a esa higuera. Cuando llegue, yo me acercaré por detrás de aquellas cañas y organizaré un escándalo.

—¿Qué clase de escándalo? —preguntó Amanda.

—Ya lo veréis —dijo Yani misteriosamente, dirigiéndole una amplia sonrisa—. Te aseguro que hará que se olviden de los burros; pero vosotros tres tenéis que actuar deprisa, porque yo no podré entretenerlos mucho rato.

—A Kouzos supiste entretenerle —dijo Amanda echándose a reír.

—Bah, era fácil —dijo Yani—. Ese es tonto; pero Papa Nikos no es tonto, así que con él habrá que andarse con cuidado.

Los niños esperaron pacientemente, y por fin, cuando ya iba clareando y el sol

empezaba a elevarse en el cielo, oyeron
que Papa Nikos y su familia se acercaban.
El único fallo que podía haber en el plan
era que Papa Nikos no llevara toda su
cuadrilla de burros, pero en seguida vieron
con alivio que traía consigo a los cuatro.
El, su mujer y sus dos hijos llegaron charlando alegremente, ataron a los burros a la
higuera y después, sacando sus azadones,
se pusieron a remover la tierra.

—Ha llegado el momento —dijo
Yani.

Ante el asombro de Amanda, sacó
de repente una navaja grande del bolsillo
y, antes de que los niños se lo pudieran
impedir, se dio dos cuchilladas en uno de
los pies descalzos y le empezó a correr la
sangre entre los dedos.

—¿Qué haces? —dijo Amanda horrorizada.

Yani sonrió:

—Hay que hacer las cosas con realismo, porque si no Papa Nikos no se
dejará engañar. Bueno, cuando tengáis los
burros los pasáis a Hespérides y luego
venís al pueblo. Yo estaré allí.

Y guardándose la navaja desapareció entre las cañas.

—¿Qué crees tú que irá a hacer?
—preguntó David.

—No lo sé —dijo—, pero no tiene
un pelo de tonto, así que dejémosle. Venid,
será mejor que nos acerquemos más a la
higuera para estar preparados.

Andando a gatas rodearon el sembrado y se escondieron en los matorrales que había cerca de la higuera. Al poco tiempo vieron, con asombro y alarma, que Yani salía de entre las cañas delante de las narices de Papa Nikos y su familia. Y por si eso fuera poco, le dio los buenos días a Papa Nikos, que le contestó alegremente.

Haciéndole preguntas inteligentes acerca de la cosecha, Yani fue caminando por el borde del sembrado y entre la hierba hacia donde estaba trabajando Papa Nikos. De improviso, tan de improviso que Amanda dio un respingo, Yani soltó un alarido taladrante y se dejó caer al suelo.

—¡Una víbora, una víbora! —gritó—. ¡Me ha mordido una víbora!

Al instante Papa Nikos y todos los suyos soltaron los azadones y corrieron al lado de Yani, que se retorcía sobre la hierba con gran realismo. Se apiñaron a su alrededor, le levantaron la cabeza y le examinaron la herida del pie, parloteando muy excitados y condoliéndose de su desgracia y sugiriendo toda una serie de antídotos de reconocida utilidad en caso de mordedura de culebra. Los gritos de Yani eran tan ensordecedores que Papa Nikos y los suyos tenían que hablar a voces para entenderse. Aquel alboroto ahogó perfectamente el ruido que hacían Amanda, David y Coocos para desatar a los burros y llevárselos.

—¡Una plancha caliente! —vociferaba Papa Nikos—. ¡Eso es lo que hace falta, una plancha caliente!

—¡No, no! ¡Ajo y aceite de oliva! —gritaba Mama Nikos—. ¡Mi madre siempre usaba ajo y aceite de oliva!

—¡Me muero! . —chillaba Yani. Desde que vio por el rabillo del ojo que los burros ya estaban fuera de su sitio, la verdad es que empezó a disfrutar de la sensación que estaba causando.

—Quita, quita, corazón, cómo vamos a dejar que te mueras —bramó Papa Nikos—. Vamos a llevarte al pueblo y te pondremos una plancha caliente.

—¡Ajo y aceite de oliva! —chilló Mama Nikos—. ¡Nada de plancha caliente!

—¡Cierra la boca, mujer! —gritó Papa Nikos—. ¿Acaso piensas que yo, con toda la experiencia que tengo, no sé lo que hay que hacer?

—Me muero —gimió Yani con voz muy convincente y temblorosa.

—¡Dadle un trago de vino! —ordenó Papa Nikos—. Hay una botella donde los burros.

Tan nerviosa estaba toda la familia a la vista de la situación de Yani, que uno de los hijos fue corriendo por la botella y ni se dio cuenta de que los burros ya no estaban atados a la higuera. Yani se desmayó con gran realismo y tuvieron que levantarle la cabeza y echarle un chorrito de vino entre los dientes apretados.

—Estoy muerto —gimió, volviendo en sí—. Me he muerto.

—¡No, hijo mío! ¡No, corazón! —gritó Papa Nikos—. Ahora mismo te llevamos al pueblo y te curamos. Traed acá un burro para llevarle.

Los hijos corrieron a obedecerle, y súbitamente se pararon asombrados en seco al ver que la higuera se había quedado sin burros.

—Papá —dijeron—, los burros no están.

El rostro de Papa Nikos se enrojeció de ira.

—¡Mujer inútil! —dijo, arremetiendo contra su mujer como causa evidente de aquel contratiempo—. ¡No los has dejado bien atados! ¡Cabeza de chorlito!

—¡Cabeza de chorlito lo serás tú! —chilló indignada Mama Nikos—. ¡Yo los dejé bien atados!

—Pues no están, así que no puede ser que los hayas atado bien —dijo Papa Nikos.

—Me muero —gimió Yani.

—Bueno, pues habrá que llevarle al pueblo a cuestas —dijo Papa Nikos—, y volver luego a buscar a los burros. No habrán ido muy lejos.

—Ya estoy muerto —dijo Yani—. Ni sirve de nada llevarme al pueblo.

—Quita, quita, corazón mío —dijo

Papa Nikos, dándole unas palmaditas—.
No te vas a morir.

Entre los cuatro le levantaron del
suelo y cargaron con él hasta el pueblo. A
cada paso que daban les aseguraba Yani
que lo mismo podían tenderle al pie de un
olivo y dejarle morir, porque lo suyo no
tenía salvación.

Por fin, jadeando exhaustos, llegaron a la plaza del pueblo, donde en aquellos momentos los lugareños empezaban
su jornada. Rápidamente se juntaron dos
mesas del café y se tendió a Yani sobre
ellas. Inmediatamente se congregó allí casi
todo el pueblo. Hasta Papa Yorgo (que
como se recordará tenía más de cien años)
vino con paso vacilante para dar su consejo, y fue escuchado con respeto porque era
el más viejo del lugar y por consiguiente
debía tener más experiencia de mordedu-
ras de víbora que nadie. Todos hablaban a
la vez. Cada uno llevaba la contraria a los
demás, y la cosa adquirió tales proporcio-
nes que Yani tuvo que hacer grandes esfuerzos para no soltar la risa. Al fin, luego
de aplicarle en el pie diecisiete remedios
diferentes y vendárselo con un trozo de
tela de lo más antihigiénico, le transporta-
ron reverentemente hasta su casa y le
acostaron. Cerraron bien los postigos y la
puerta para que no pudiera entrar ni un
soplo de aire fresco, pues era bien sabido
que el aire fresco era lo peor del mundo
para un enfermo, y después, discutiendo

94

estridentemente, se volvieron al pueblo. En
la oscuridad de su cuartito, Yani, metido
en la cama, rió hasta que las lágrimas le
corrieron por las mejillas.

Capítulo 6

Conmoción

Jamás la aldea de Kalanero había conocido un día como aquél. Volvieron los aldeanos, todavía charlando animadamente sobre la mordedura de Yani, y en el momento en que empezaban a dispersarse y a tirar cada uno por su lado, entró corriendo en la plaza Filimona Kouzos, con la cara del color del papel.

—¡Oídme todos! ¡Oídme todos! —gritó con dramatismo—. ¡Brujería, brujería!

Y, dejándose caer ante una de las mesas del café, sollozó teatralmente:

—¡Brujería!

Ninguna otra palabra habría impresionado tanto a los aldeanos. Hasta Papa Yorgo (que como se recordará tenía más de cien años) tuvo que beberse dos *ouzos* uno detrás de otro. Los aldeanos se apiñaron alrededor del sollozante Kouzos.

—Dinos, Filimona Kouzos —suplicaron—, ¿de qué brujería nos hablas?

Kouzos alzó la cara salpicada de lágrimas.

—Anoche —dijo entre sorbetones—, a altas horas de la noche, oí un ruido fuera de mi casa. Ya sabéis que soy un hombre de mucho coraje.

Tan fascinados estaban los aldeanos, que no acogieron aquella palpable falsedad con el estallido de risa sarcástica que habría sido normal en otras circunstancias.

—Cogí la escopeta y el farol —siguió diciendo Kouzos, secándose la nariz con la manga—, y salí en mitad de la noche.

Los aldeanos soltaron exclamaciones ahogadas y se santiguaron.

—De repente —dijo Kouzos—, veo que de detrás de un árbol salta hacia mí una cosa.

—¿Qué era, Filimona? —preguntó Papa Yorgo con voz temblorosa.

Kouzos bajó la voz hasta dejarla reducida a un susurro escalofriante.

—¡Era Viraclos! —bisbiseó melodramáticamente.

La multitud que ya rodeaba a Kouzos se quedó sin respiración. Kouzos había visto a Viraclos.

—¿Cómo era, cómo era? —le preguntaron.

—Era —dijo Kouzos, echando mano de su imaginación—, como una cabra con figura de hombre, pero con cara de perro enseñando los dientes y dos grandes cuernos. Y también tenía un rabo muy largo, bifurcado en la punta.

—Sí, sí —convino Papa Yorgo, asintiendo con la cabeza—. Era Viraclos, sin duda. Recuerdo que un tío mío por el lado de mi madre le vio una vez. Y así es exactamente como le describía.

—Y dijo: «Kouzos, he venido a llevarme tu alma» —continuó Kouzos.

Los aldeanos volvieron a soltar exclamaciones ahogadas.

—Afortunadamente, como yo soy un hombre bueno, honrado y temeroso de Dios, invoqué a nuestro santo patrón, y así sabía que no podía hacerme ningún daño.

—¿Estás seguro —dijo Petra, que era el cínico del pueblo— de que no habías bebido un poco de más, Filimona?

Filimona se enderezó con dignidad.

—No estaba bebido —dijo fríamente—; y aún hay más.

¿Más aún? Los lugareños casi no cabían en sí. Sin duda alguna era aquélla una de las cosas más emocionantes que habían sucedido en Kalanero.

—¿Qué más pasó? —clamaron con ansia.

—Esta mañana —dijo Kouzos—, cuando fui a sacar a los burros, me encontré con que el candado, ese candado grande tan bueno que perteneció a mi padre, había sido arrancado de la puerta como por una mano gigantesca, y los burros habían desaparecido.

—¿Desaparecido? —preguntaron los aldeanos.

—Desaparecido —dijo Kouzos—. ¡Estoy arruinado!

Otra vez se echó a llorar y se puso a dar puñetazos en la mesa.

—¡Viraclos me ha arruinado! —gimoteó—. Como el buen santo no le dejó que se llevara mi alma, lo que hizo fue llevarse los burros.

—¿Estás seguro de que no es que se hayan ido al olivar? —preguntó Petra.

—¿Crees que no los he buscado? —chilló Kouzos—. Por todas partes los he estado buscando. Han desaparecido sin dejar rastro.

Los aldeanos se miraron unos a otros con inquietud, pues entre la mordedura de Yani y una cosa y la otra, la verdad era que ninguno de ellos había visto aún a sus burros. Inmediatamente se disipó la multitud, y cada cual corrió a su casa por ver si los burros estaban a buen recaudo. Pero no había transcurrido media hora cuando ya estaban de vuelta en la plaza, con un clamor indescriptible de horror e indignación, porque todos querían contar a la vez la historia de la ausencia de sus burros.

—Indudablemente ha sido cosa de brujería —dijo Papa Yorgo—. Para esto nos hace falta la ayuda de la iglesia. Id a despertar al Padre Nicodemus.

El Padre Nicodemus no solía salir de la cama antes de las doce del mediodía, y llevaba una existencia bastante intachable. Setenta y cinco años llevaba en la iglesia ortodoxa griega sin entregarse a mayores esfuerzos que los de peinarse la barba y de vez en cuando beberse un *ouzo* a sorbitos. Hete aquí que ahora se veía sacado de la cama ignominiosamente, y obligado a dar consejo espiritual a sus feligreses a una hora que para él venía a ser la del amanecer. Cuando los lugareños acabaron de explicarle la situación, tenía tal dolor de cabeza que tuvo que beberse un vaso de vino a pesar de ser aún tan temprano.

—¿Qué podemos hacer? —preguntó Papa Yorgo.

—¡Exorcizar! —gritó una voz entre el gentío.

—¿Exorcizar qué, si los burros no están? —dijo Papa Yorgo.

—Pero si exorcizamos el sitio donde estaban —dijo Mama Agathi con voz aguda—, entonces puede ser que Viraclos los devuelva.

Algo le decía al Padre Nicodemus que en aquel razonamiento de Mama Agathi había un fallo, pero no acababa de ver claro en dónde estaba.

—No estoy del todo seguro de cómo se exorciza —dijo.

—Usted es sacerdote, ¿no? —dijo Papa Nikos, que ya había vuelto del intento infructuoso de localizar a sus burros—. Debe saber cómo se exorciza.

—Me parece que lo tengo escrito por alguna parte —dijo el Padre Nicodemus, faltando descaradamente a la verdad.

Con paso vacilante se dirigió a su casa y regresó con dos impresionantes hojas de papel, de las cuales una contenía una homilía que solía dar en las fiestas de los santos, y la otra una lista de víveres que quería pedir a Melisa, pero de eso no tenían por qué enterarse los lugareños.

En toda su carrera jamás había vivido dos horas tan extenuantes. Provisto de un cirio y un incensario, tuvo que exorcizar todos y cada uno de los establos o lugares donde había habido algún burro. Hasta que llegaron a casa del alcalde no se dieron cuenta de que Oizus, que también tenía costumbre de dormir hasta altas horas, no estaba enterado de la catástrofe que se había abatido sobre el pueblo. Tan pronto como recibió noticia de los hechos, corrió a su propio establo y allí comprobó con horror que también faltaban sus burros y su potro. El Padre Nicodemus estaba incensando a todo incensar cuando el alcalde descubrió el cartel que decía BU-RROS DEL MUNDO, UNIOS.

—¡Los comunistas! —exclamó Oizus palideciendo—. ¡Han sido los comunistas!

Y arrancando el cartel se lo leyó con voz trémula a los aldeanos.

—Hay que reunir al consejo municipal inmediatamente —dijo.

El consejo, compuesto por cuatro miembros, se reunió en la plaza bajo la presidencia del alcalde, y la población entera de Kalanero se congregó a su alrededor para escuchar sus deliberaciones y entrometerse en ellas con la mejor intención.

—Yo estoy seguro de que es cosa de brujas —dijo Papa Nikos—. Recuerdo haber oído de un caso muy semejante que hubo en Cefalonia hace muchos años.

—No seas necio —dijo el alcalde, señalando el cartel, que había depositado en la mesa delante de sí—. Es evidente que han sido los comunistas. ¿Quién si no pediría que los burros se unan? Y además, es bien sabido que Viraclos no sabe escribir.

—Eso es verdad, eso es verdad —dijo el Padre Nicodemus, que veía que si no apartaba a los aldeanos de la teoría de la brujería iba a tener una existencia muy agitada a partir de ese momento.

—Sí —asintió Papa Yorgo—, es bien sabido, en efecto, que Viraclos no sabe escribir, así que yo creo que han debido ser los comunistas.

—Pero, ¿para qué lo han hecho? —preguntó el alcalde con voz lastimera—. ¿Para qué han querido llevarse nuestros burros?

Durante algunos instantes todos meditaron sobre aquel enigma.

—Debe de ser un complot —dijo de pronto Papa Nikos—. Es un complot para arruinar la agricultura del pueblo.

—¿Qué quieres decir con eso? —preguntó el alcalde perplejo.

—Está clarísimo —dijo Papa Nikos—. Sin los burros no podemos recoger la cosecha, así que estamos arruinados. Es el típico complot comunista.

—Yo creo que tiene razón —manifestó el Padre Nicodemus.

—Es posible —dijo el alcalde, no

muy convencido—. Sí. Es posible. Puede ser.

—A lo mejor no ha sido sólo aquí —dijo Papa Yorgo—. A lo mejor lo han hecho en todos los pueblos de la isla para arruinar la economía de Melisa. De todos es sabido que los comunistas hacen esa clase de fechorías.

Hasta el alcalde se quedó un poco impresionado ante la idea de que los comunistas hubieran hecho desaparecer a todos los burros de Melisa.

—Bueno, y ¿qué hacemos? —dijo Papa Nikos.

—¡Eso, eso! —clamaron los aldeanos—. ¿Qué hacemos?

El alcalde miró a su alrededor, desesperado. Desde que estaba en el cargo jamás se había tenido que enfrentar con un problema de tales dimensiones.

—Tú eres el alcalde —dijo Papa Nikos—. Tú verás qué se hace.

El alcalde sabía que nunca había gozado de grandes simpatías, y que de hecho si había resultado elegido era porque los cuatro miembros del consejo le debían dinero. Veía claramente que entre los aterrorizados aldeanos se estaba extendiendo un estado de ánimo muy peligroso, y sudaba como no había sudado en toda su vida.

—¿Dónde está Menelous Stafili? —preguntó.

—En la cama —dijo Papa Nikos,

sorprendido de que no se le hubiera ocurrido.

—Pues id a buscarle —dijo el alcalde—. Es evidente que esto es competencia de la ley.

Al rato Menelous Stafili llegó a la plaza arrastrando los pies, abotonándose el uniforme y frotándose los ojos con cara de sueño. El alcalde, los cuatro miembros del consejo y doscientos lugareños le explicaron punto por punto el espantoso complot. Una vez que hubo asimilado los datos esenciales, lo cual llevó su tiempo

porque nunca estaba muy despejado a aquellas horas de la mañana, Menelous Stafili se volvió hacia el alcalde.

—¿Y qué piensa usted hacer, señor alcalde? —preguntó.

—¡Insensato! —rugió el alcalde, todo rojo—. ¿Para qué crees que te he hecho sacar de la cama? Tú eres el policía. Es a ti a quien corresponde buscar una solución.

Menelous Stafili se rascó la cabeza. Jamás le había llegado un ascenso, por la sencilla razón de que nunca había conseguido detener a nadie. Aparte de eso, no se podía decir que la delincuencia de Kalanero fuera muy vistosa. Ahora, enfrentado a aquella acción criminal, Menelous Stafili se sentía exactamente igual que el alcalde.

—Yo creo que habría que enviar un telegrama a Atenas —dijo por fin.

—¡Majadero! —rugió Papa Nikos—. ¿Qué crees tú que pueden hacer desde Atenas?

—Sería más oportuno informar del asunto al jefe de policía de Melisa —dijo el alcalde—. Es bien sabido que Prometheous Steropes es un hombre muy astuto.

—En efecto —asintió Papa Nikos—. Estoy totalmente de acuerdo. Yo creo que tú como alcalde, y Menelous Stafili como representante de la ley en nuestro pueblo, debéis ir personalmente a comunicárselo.

—Desde luego —dijo el alcalde, y sonrió satisfecho.

—Pero ¿cómo vamos hasta allí? —preguntó Menelous Stafili—. No tenemos en qué ir.

La expresión de profunda satisfacción que iluminaba el rostro del alcalde se esfumó.

—Dadas las circunstancias —se apresuró a decir—, yo sugiero que Menelous Stafili vaya a pie y luego vuelva para informarnos del resultado.

—No —dijo severamente Papa Nikos—, yo creo que debéis ir los dos a pie y luego volver para informarnos del resultado.

—¡Eso! —rugieron los aldeanos—. Eso es, es una decisión muy sensata.

Conque el alcalde, viéndose acorralado, fue a ponerse el traje de los domingos; Menelous Stafili se cepilló desganadamente las polainas, y los dos echaron a andar hacia Melisa.

Había sus buenos quince kilómetros de distancia, y el que hizo la carretera la había trazado con bastante despiste, así que todo eran eses y subidas y bajadas. El camino yacía cubierto de polvo blanco, como una capa espesa de talco, y recalentado por un sol abrasador. El alcalde y Menelous Stafili caminaban con paso cansino, más polvorientos y sudorosos a cada kilómetro. Jamás en sus vidas habían visto tan clara la utilidad de los burros. Por fin, medio muertos de cansancio, llegaron a las afueras de Melisa. Inmediatamente se encaminaron al café más próximo, se reanimaron con las debidas cantidades de *ouzo,* y acto seguido dirigieron sus pasos a la comisaría de policía, donde tenía su despacho el inspector Prometheous Steropes.

El inspector Prometheous Steropes se tomaba su trabajo muy en serio. Era un hombre ambicioso, y le molestaba que en Melisa se cometieran tan pocos delitos, porque estaba seguro de que, si se le presentara una oportunidad, sería capaz de desplegar unas brillantes dotes detectivescas que deslumbrarían a sus superiores de Atenas y le ganarían un rápido ascenso.

Pero en aquellas circunstancias sus superiores de Atenas apenas se acordaban siquiera de su existencia.

Una de sus posesiones más preciadas era una colección de historias de Sherlock Holmes, con bonita encuadernación de tafilete rojo, que el general de división Finchberry-White le había regalado el año anterior, y que él había estudiado asiduamente hasta aprenderse de memoria los métodos del «maestro».

Prometheous era un hombre alto y flaco, de afilada barbilla tan azul y reluciente como un cañón de pistola, y larga nariz que, en su opinión, hacía de él la viva imagen de su detective favorito. Cuando se le comunicó que el alcalde Oizus y Menelous Stafili, los dos en un estado lamentable, solicitaban verle, se quedó bastante intrigado, porque sabía que Kalanero era uno de los pueblos de la isla donde más se respetaba la ley. ¿Qué querrían de él? Se hizo pasar a los dos hombres, todavía sudorosos, al despacho, donde el inspector jefe, con impecable uniforme, estaba sentado ante su gran mesa de madera de roble, tratando de asemejarse lo más posible a Sherlock Holmes en el momento de entrevistar a un cliente. Se levantó y les saludó con una ligera inclinación.

—Señor Oizus, Menelous Stafili —dijo—. Hagan el favor de tomar asiento.

El alcalde y Menelous Stafili se derrumbaron jadeando en sendas sillas.

—Parece ser —dijo el inspector jefe, examinándoles con mirada taladrante— que han venido ustedes andando.

—Así es —dijo el alcalde, enjugándose la cara con el pañuelo—. Hasta hoy no me había dado cuenta de lo lejos que está esto.

El inspector jefe reflexionó un instante.

—¿Por qué no han venido ustedes en burro? —preguntó.

—Ese es exactamente el motivo de nuestra visita —dijo el alcalde—. No tenemos burros.

El inspector jefe frunció el entrecejo.

—¿Cómo que no? —preguntó—. Kalanero estaba lleno de burros la última vez que yo estuve allí. Usted mismo, si no recuerdo mal, poseía cinco.

—¡Pues ahí está! —gimió el alcalde—. Que ya no tenemos ningún burro. Los comunistas se los han llevado.

El inspector dio un respingo.

—¿Los comunistas? —repitió, incrédulo—. ¿Qué me está usted diciendo?

—Anoche —explicó el alcalde— unos comunistas sinvergüenzas estuvieron en el pueblo y nos robaron todos los burros y mi potro.

—Señor alcalde —dijo el inspector con severidad—, ¿habré de pensar que ha bebido usted más de la cuenta, o que ha perdido la razón?

—No, no, está diciendo la verdad, señor inspector —dijo Menelous Stafili—. Todos los burros y su potro han desaparecido.

El inspector cogió de la mesa una larga pipa curva y con aire pensativo se dio con ella en los dientes, y después se rascó con ella el diminuto bigote negro.

—¿Y para qué querrían burros los comunistas? —preguntó astutamente.

—Es un complot —jadeó el alcalde—. Un complot para arruinar la agricultura de Kalanero. Y probablemente sea el primer paso de una conspiración gigantesca para arruinar la agricultura de toda la isla.

El inspector quedó visiblemente impresionado.

—Pudiera ser —dijo—. Pero, ¿por qué está usted tan seguro de que han sido los comunistas?

—¡Lea esto! —dijo el alcalde con gesto melodramático, arrojando sobre la mesa el cartel que decía BURROS DEL MUNDO, UNIOS.

—¡Ajá! —dijo el inspector, embelesado—. ¡Una pista!

Y cogiendo una lupa enorme examinó atentamente el cartel por delante y por detrás.

—Tiene usted toda la razón —reconoció—. No hay duda de que ha sido obra de los comunistas.

—¿Qué sugiere usted que hagamos? —dijo el alcalde—. Si no recuperamos los burros, será la ruina de todo el pueblo.

—No se excite, señor alcalde —le tranquilizó el inspector, levantando una mano—. Yo mismo me ocuparé del caso.

Llamó a su secretario y dio orden de que estuvieran dispuestos tres agentes, junto con el único coche de policía de

Melisa, un Ford antiguo y muy estropeado que el inspector solía utilizar para ir a ver el estado de sus viñedos. Después, con una eficiencia que impresionó visiblemente al alcalde y a Menelous Stafili, tomó el teléfono y marcó un número. Esperó un momento, entornando los ojos y dándose con la pipa en los dientes, convertido de pies a cabeza en la personificación del detective resuelto.

—¿Gregorius? —dijo de pronto al teléfono—. Soy Prometheous. Oye, Gregorius, ¿te acuerdas de esos dos perros de caza que te ofreciste a prestarme? Bueno, ¿y qué tal rastrean? Bien, ¿eh? ¿Serían capaces de seguir la pista de un burro? Sí, sí, un burro. No, no estoy de broma. Estoy tratando de resolver un caso. Tú crees que sí, ¿eh? Bueno, ¿y me los puedes prestar? Muchísimas gracias. Ahora mismo pasaré a recogerlos.

Así, no sin dificultades, el alcalde, Menelous Stafili, el inspector, tres policías y dos perros grandes y amigables que jadeaban de contento se apretujaron como pudieron en el coche de policía, que poco después marchaba dando tumbos por la carretera de Kalanero, donde el inspector esperaba ver llegado el gran día de su triunfo.

Capítulo 7

Las fuerzas de la ley

Sabían los niños, claro está, que la desaparición de los burros ocasionaría una conmoción sin precedentes en el pueblo, y la reacción de los lugareños les había divertido mucho. Pero con lo que no contaban era con la llegada de refuerzos del exterior. Cuando supieron que el alcalde y Menelous Stafili habían tomado la inusitada acción de ir *a pie* hasta Melisa para ver al jefe de policía, ese hecho les dejó bastante consternados.

—¿Qué creéis que puede pasar ahora? —preguntó David, preocupado—. Si consiguen meter en esto a toda la policía, es casi seguro que antes o después encuentren a los burros.

—¡Bah! —dijo Amanda con desdén—, ese inspector no es capaz de encontrar ni sus propias narices.

Pero en su fuero interno ella también estaba un tanto alarmada por las noticias, aunque por nada del mundo lo habría querido reconocer.

—¿No deberíamos ir a dar de comer a los burros? —dijo Yani.

—No —respondió Amanda—. No podemos arriesgarnos a que nos vean ir a Hespérides, porque si encuentran allí a los burros, entonces sabrán que fuimos nosotros quienes nos los llevamos.

—Sí, tienes razón —dijo Yani—. No se me había ocurrido.

—Tienen comida más que suficiente —dijo Amanda—, y esta noche podemos acercarnos para ponerles más.

—¿Qué creéis que le dirá el inspector al alcalde? —preguntó David.

—Lo más probable es que venga aquí en persona —dijo Amanda tranquilamente.

—¿Qué dices? —dijo Yani, pasmado—. ¿Venir *aquí* el inspector?

—No me sorprendería —dijo Amanda—. Se muere de ganas de hacerse el gran detective, y yo diría que ésta es su gran ocasión.

—Bueno, pues tenemos que estar muy atentos a lo que pase —dijo David—, y estar preparados para darnos coartadas unos a otros si sospechan de nosotros.

—Imaginaos que venga el inspector *en persona* —murmuró Yani con desasosiego—. No sé, es como si así fuera todo más delictivo.

De pronto Coocos se echó a llorar desconsoladamente. Amanda corrió hacia él y le rodeó con sus brazos.

—No te preocupes, Coocos —dijo—. El inspector no te hará nada. Aunque descubran que fuimos nosotros, no les diremos que tú nos ayudaste.

Pero Coocos, haciendo un tremendo esfuerzo por vencer su tartamudez, explicó que su disgusto no se debía al temor a ser detenido, sino a que acababa de descubrir que el huevo del jilguero se le había roto en el bolsillo.

—Vamos a subir al monte para vigilar desde allí la carretera y ver si vuelven —dijo David—, porque me imagino que volverán en taxi.

Conque rápidamente subieron a lo alto del monte, y Yani se encaramó al mismo olivo desde donde había esperado la llegada de los niños, y los demás se tumbaron a la sombra al pie del árbol. Al cabo de un tiempo que les pareció interminable, Yani exclamó de pronto: «¡Ya vienen! ¡Ya se ve el polvo del camino! ¡Ya vienen!».

Bajó en seguida del olivo, y todos corrieron a la plaza del pueblo.

—¡Ya vuelve el alcalde, ya vuelve el alcalde! —gritó Amanda, e inmediatamente los aldeanos acudieron a la plaza en pelotón.

El coche de policía se paró en seco en el centro de la plaza con un impresionante chirrido de frenos, y se vació de su variopinto cargamento.

—Lo primero que necesito —dijo el inspector, dando unas palmaditas a la cartera que traía consigo— es un lugar adecuado para interrogar a los testigos.

En seguida se juntaron dos mesas del café y se buscó un mantel blanco para cubrirlas. Allí tomó asiento el inspector, y cuidadosamente fue sacando de la cartera un magnífico equipo de artefactos para la captura de delincuentes, que impresionó mucho a los lugareños, a saber: su lupa, un pequeño tampón y unas hojas de papel para tomar impresiones dactilares; una cámara fotográfica para fotografiar pruebas y, tal vez lo mejor de todo, seis pares de esposas. Entre tanto los tres policías se ocuparon de atar a los dos perros de caza. Luego descansaron a la sombra y dejaron que los aldeanos les atiborraran de bebidas, mientras escuchaban reverentemente cómo el inspector Prometheous Steropes llevaba el caso.

—Interroguemos a los testigos —dijo el inspector.

—Es que *no hay* testigos —señaló el alcalde—; nadie presenció el robo.

—Pero estaba ese tal Kouzos —dijo el inspector, entornando los ojos—. ¿No me ha dicho usted que él vio algo?

—Pero a quien vio fue a Viraclos —protestó Papa Yorgo—. Es cosa muy distinta.

El inspector se inclinó hacia delante y atravesó con la mirada a Papa Yorgo.

—¿Y cómo sabe usted —preguntó— que ese Viraclos que vio no era *un comunista disfrazado de Viraclos*?

Una oleada de admiración recorrió la multitud. ¡Qué astucia! ¡Qué brillantez detectivesca! ¡Cómo no se les habría ocurrido! El inspector esbozó una sonrisa leve y severa, la sonrisa de un detective para el que nada está oculto.

—No habían pensado en eso, ¿verdad? —dijo con satisfacción—. Que comparezca Kouzos.

Manos diligentes empujaron a Kouzos desde las últimas filas del gentío hasta delante de la mesa, donde se quedó parado y un poco tembloroso ante la majestad de la ley.

—Dígame usted exactamente qué ocurrió —dijo el inspector.

—Oyó un ruido a altas horas de la noche —empezó Papa Yorgo.

—Si no le molesta —dijo el inspector alzando una mano—, preferiría que fuese el propio testigo el que lo cuente.

—Oí un ruido a altas horas de la noche —empezó a decir Kouzos con voz temblorosa—, y como soy hombre de talante intrépido inmediatamente cogí la escopeta y el farol y salí a investigar.

—¿Qué clase de escopeta era? —preguntó el inspector.

—Una escopeta de dos cañones del doce —dijo Kouzos.

El inspector tomó nota, dando muestras de satisfacción.

—En un caso como éste, es importante no pasar por alto ni un solo dato

—dijo—. No sabemos si la escopeta resultará ser una pista crucial. Está bien, continúe.

—Yo grité: «¿Quién anda ahí? ¡Quieto o te coso a balazos!» —dijo Kouzos.

—Habría sido muy imprudente hacerlo —observó el inspector con severidad—. Podría haberme visto obligado a encarcelarle a usted por homicidio. Continúe.

—De detrás de un árbol saltó sobre mí aquello —dijo Kouzos—: una cosa con cuernos enormes y un rabo enorme y patas greñudas como una cabra.

—¿Tenía pezuñas? —preguntó el inspector.

—Sí, sí —asintió vehementemente Kouzos—. Unas pezuñas enormes.

El inspector tomó nota.

—¿Y qué más? —dijo.

—Y me dijo: «Kouzos, he venido a llevarme tu alma y chuparte la sangre» —dijo Kouzos, santiguándose.

—¿A lo cual replicó usted? —preguntó el inspector.

—«San Policarpo me proteja de Viraclos» —dijo Kouzos.

—Muy bien. Una respuesta muy adecuada —dijo el inspector, y arrellanándose en el asiento se sacó del bolsillo la pipa curva y se dio con ella en los dientes, con gesto meditabundo.

—Evidentemente era un buen disfraz —dijo por fin—. De no ser así, usted *se habría dado cuenta* de que era un comunista, ¿no es cierto?

—Claro que sí —asintió Kouzos—. En mi familia siempre hemos tenido muy buena vista.

—Bien —dijo el inspector—: pues ahora lo que hay que hacer es examinar el lugar donde usted lo vio.

Y empuñando la lupa se dirigió a la casa de Kouzos, seguido de cerca por los extasiados habitantes de Kalanero.

Su manera de llevar el caso hasta ese momento tenía fascinados a los niños. La verdad es que Amanda tuvo que hacer grandes esfuerzos para contener la risa. Una vez que, acompañado por la aldea en pleno, el inspector llegó a casa de Kouzos, sujetó la pipa entre los dientes y examinó el lugar majestuosamente.

—¿Por dónde lo vio usted? —le preguntó a Kouzos.

—Por ahí —y Kouzos señaló un sector al pie de los olivos que en ese momento estaba ocupado por unos ciento cincuenta aldeanos.

—¡Insensatos! —rugió el inspector—. ¡Apártense! ¡Están ustedes pisando todas las huellas!

Los aldeanos retrocedieron precipitadamente, y el inspector se arrodilló en el suelo con sumo cuidado y examinó con la lupa una amplia extensión de terreno al pie del olivo, emitiendo ligeros gruñidos en voz baja de tanto en tanto. Los aldeanos cuchicheaban entre sí sobre lo inteligente que era el inspector, como lo demostraba por su manera de llevar el caso, y la certeza absoluta que tenían todos de que, si alguien era capaz de recuperar sus burros, ese alguien era él. Al cabo de un rato el inspector se puso en pie y se sacudió el polvo de las rodillas.

—No hay huellas —dijo, dando muestras de satisfacción, y lo anotó en el cuaderno.

—¿Cómo querrá encontrar huellas, si está el suelo más seco que el esparto? —susurró David a Amanda.

—Si se nos hubiera ocurrido, le podíamos haber dejado alguna —dijo Amanda.

El inspector volvió a la plaza con andar majestuoso y de nuevo se sentó a la mesa.

—Veamos —dijo—. Este caso presenta algunos aspectos muy curiosos. Muy curiosos, en efecto. Sin embargo, pueden ustedes estar seguros de que no dejaré piedra sin remover por capturar a esos comunistas y lograr que ustedes recuperen sus burros. Yo, Prometheous Steropes, se lo prometo.

Hubo un murmullo de aprobación de todos los lugareños.

—Como verán, he traído conmigo —y el inspector señaló con orgullo a los dos chuchos que jadeaban debajo de la mesa del café— a dos excelentes perros de rastreo, con cuya colaboración no debe sernos difícil descubrir el paradero de los burros. Sin embargo, como es bastante probable que los comunistas estén junto a los burros allí donde los encontremos, quisiera pedir seis voluntarios que nos acompañen a mí y a mis hombres, ante la eventualidad de que los ladrones ofrezcan resistencia, o, como también puede suceder, de que nos aventajen en número.

Seis jóvenes del pueblo se apresuraron a dar un paso al frente. No había escasez de voluntarios; al contrario, por el movimiento general que hubo hacia delante dio la impresión de que todos los del pueblo querían ofrecerse. Pero el inspector tomó a los seis jóvenes. Ellos se pusieron muy contentos y orgullosos, porque sabían que a partir de ese momento, cada vez que pasaran por la calle la gente diría: «¿Ves a ese que va por ahí? Pues es uno de los que atraparon a los comunistas que nos habían robado los burros».

—Lo primero que hemos de hacer ahora —dijo el inspector— es darles el rastro a los perros. Señor alcalde, ¿tendría usted la amabilidad de prestarme una de sus sudaderas para que se la demos a oler a los perros?

El alcalde mandó corriendo a casa a su hijo más pequeño, que volvió con una manta de colorines. El inspector procedió a sacudirla debajo de las narices de los dos

perros, quienes la olfatearon, estornuda-
ron violentamente y a continuación se
sentaron jadeando y meneando el rabo.

—¡Han estornudado! —dijo el inspector con satisfacción—. Eso significa
que han cogido la pista.

Desató a los dos perros y, sujetando
la traílla, los paseó por el pueblo, seguido
de Menelous Stafili, los tres policías de
Melisa y los seis voluntarios. Los aldeanos
dejaron que se adelantaran unos cien metros y después les siguieron en masa.

En un principio, aquella tarde de
excursión les había parecido a los perros
bastante grata. Les había gustado el viaje
en coche, por ejemplo, aunque uno de ellos
se había puesto tan nervioso que vomitó
encima de uno de los policías. Pero ahora
llevaban mucho rato pasando calor debajo
de la mesa del café, por lo cual no era de
extrañar que estuvieran un poco aburri-
dos. Sin embargo, el amable inspector
estaba dispuesto a pasearles. ¡Qué bien!
Pegaron el morro al suelo y fueron olis-
queando todos esos olores fascinantes que
olfatean los perros, y a menudo arrastrando al inspector a los lados de la calle para
levantar la pata junto a un portal. Olfa-
teando y resoplando, dieron vueltas y vueltas en círculo.

—Creo que ya han encontrado el
rastro —dijo alborozado el inspector.

Habían dejado atrás el pueblo y
estaban a cierta distancia, en los olivares.

Los perros se movían en círculo, gañendo
y meneando el rabo vigorosamente, y de
pronto los dos echaron a correr en la
misma dirección.

—¡Adelante! —gritó el inspector—.
¡Estamos sobre el rastro!

Los perros tiraban como locos de la
traílla; el inspector tenía que correr para
no perderlos, y tras él corría su cuadrilla
de valientes. Los perros recorrieron el olivar trazando un amplio círculo, y luego
volvieron a entrar en el pueblo. Arrastraron al sofocado inspector de un lado a otro
de la plaza, doblaron varias esquinas, subieron los escalones que llevaban al pozo
del pueblo y después, ante el asombro de
todos (y en primer lugar del inspector), se
abalanzaron a la puerta de la casa del
alcalde y se pusieron a arañarla, gañendo y
moviendo el rabo con delectación. El alcalde palideció. Había oído hablar de algunos errores de la justicia, y comprendió
que, si la actuación de los perros se tomaba como prueba, iba a verse implicado en
el complot de los burros. El inspector
frunció el entrecejo al ver cómo los perros
arañaban la puerta.

—Dígame, señor alcalde —dijo—,
¿a qué atribuye usted el que los perros nos
hayan conducido hasta su casa?

—No tengo la menor idea —dijo el
alcalde sudando—. Le aseguro que no
tengo la menor idea.

—No seas tonto —dijo de pronto la

señora Oizus—. ¿No sabes que tenemos a la perra en celo?

Aquella declaración fue acogida con una carcajada general de los aldeanos reunidos, y el inspector se puso muy colorado.

—Deberían habérmelo dicho antes —dijo secamente—. Semejante comportamiento casi equivale a entorpecer la acción de la justicia en el desempeño de su deber.

—Lo lamento mucho, inspector, pero no estaba enterado —dijo Oizus, dirigiendo una mirada malévola a su mujer.

—Está bien. Tendremos que repetirlo —dijo el inspector—. Los llevaremos más lejos del pueblo, donde no haya tantos elementos de distracción.

Conque echaron a andar por los olivares hasta encontrarse a unos quinientos metros del pueblo, y allí una vez más se dio a oler a los perros la sudadera del burro. Viendo que se les impedía presentar sus respetos a una perra en tan interesante estado, los perros aceptaron filosóficamente lo que creyeron ser una vulgar salida de caza. En las que solían hacer con su amo tenían por costumbre deambular a ciegas por el campo hasta que se tropezaban con una liebre o levantaban a una chocha de debajo de un olivo, y no veían razón para variar de comportamiento por ir con el inspector. Así que les arrastraron a él y a sus hombres monte arriba y monte abajo, entrando y saliendo de cañaverales y vadeando arroyos, sin dejar de dar constante aliento a sus acompañantes humanos a base de husmear y mover el rabo. No tardaron mucho en llegar a una ladera muy abrupta y pedregosa donde el inspector resbaló y se cayó por un barranco, de donde salió con una pantorrilla desollada y la lupa hecha pedazos. Fue en ese punto donde Steropes decidió que era mejor llevar a los perros sueltos.

Aquella decisión resultó ser muy imprudente. Hubo de transcurrir muy poco tiempo para que el inspector y sus

hombres perdieran todo contacto con los perros, y al diseminarse en su busca pronto perdieron todo contacto entre sí. Los perros siguieron paseando por el monte tan contentos, y luego, al descubrir que a sus acompañantes humanos al parecer no les interesaba ya la cacería, puesto que no iban detrás de ellos, decidieron volver al pueblo por un atajo y hacer a la perra del alcalde aquella visita de cortesía que antes no se les había permitido.

Poco a poco fue anocheciendo, y la población de Kalanero empezó a preocuparse. Los primeros en volver habían sido los perros, seguidos de cerca por Menelous Stafili, quien afirmó que había perdido contacto con el grueso de la expedición y, como no iba preparado para detener él solo a un número indeterminado de comunistas, había juzgado más razonable volver

al pueblo. Poco después fueron apareciendo los jóvenes de Kalanero, todos contando la misma historia, que se habían separado del grupo principal y les había parecido inútil seguir adelante solos. Pero no había ni rastro del inspector y los tres policías de Melisa.

—¿Qué habrá sido de ellos? —dijo David—. Espero que no les haya pasado nada grave.

—No creo —dijo Amanda—. No les puede pasar nada en el monte.

—No sé —dijo David preocupado—. Se puede uno caer por un barranco y romperse una pierna.

—¡Hombre, no seas tan pesimista! —dijo Amanda con impaciencia—. Seguro que no les ha pasado nada.

—Tiene razón David —dijo Yani muy serio—. Hasta que salga la luna es muy difícil ver dónde se pisa en el monte, y hay sitios muy peligrosos.

—Bueno, ¿y qué le vamos a hacer? —preguntó Amanda—. No podemos ir a buscarles.

—Podríamos proponerle a Papa Yorgo que salgan a buscarles algunos del pueblo con faroles —dijo David.

—Excelente idea —asintió Yani—, porque así verán las luces y sabrán para dónde tienen que ir.

Así que los niños fueron a hablar con Papa Yorgo y le propusieron enviar un equipo de búsqueda. Los aldeanos inmediatamente aclamaron a los niños por su astucia, y en seguida un nutrido grupo de gente con faroles subió al monte. Pasada una hora o cosa así, el inspector y sus tres hombres, sucios, desaliñados y con la ropa hecha jirones, fueron conducidos ignominiosamente al pueblo. El inspector se dejó caer en una silla del café dando muestras de cansancio, y los aldeanos le atendieron tiernamente, sirviéndole vino y aplicando ungüentos a sus diversas heridas y rasponazos, pero nada pudieron hacer por su alma herida, pues bien claro veía el inspector que su reputación en el pueblo había caído casi tan bajo como la del alcalde.

—Hemos estado —anunció, aclarándose la voz— a un paso del éxito.

—Sí, sí, así es —dijeron a coro los aldeanos, que sentían lástima por él.

—¡A un paso del éxito! —repitió, golpeando la mesa con el puño cerrado. Tragaba saliva iracundo.

—Si no fuera por esos malditos perros obsesos y esa perra de usted —dijo dirigiéndose al alcalde—, a estas horas tendríamos seguramente a los burros y a los comunistas.

—Eso es, eso es —corearon los aldeanos—. La perra del alcalde ha tenido la culpa.

Y dirigieron al alcalde miradas de odio, como si él personalmente fuera el causante de que su perra estuviera en celo.

—Pero yo no me rindo —dijo el

inspector—. Pasaré aquí la noche, si usted, señor alcalde, me puede proporcionar una cama, y mañana volveremos a intentarlo. Tengan la seguridad de que triunfaremos.

—Claro que sí —le tranquilizaron los aldeanos—. Claro que triunfarán.

Amanda y David regresaron a la villa para cenar, dejando al inspector haciéndoles a los extasiados aldeanos una brillante exposición de uno de los casos más conocidos de Sherlock Holmes (que, sin saber por qué, los aldeanos interpretaron como un caso resuelto por el propio inspector).

—¡Ah, ya estáis aquí, hijos míos! —dijo la señora Finchberry-White—. Ahora mismo iba a salir a buscaros. Ya está la cena.

La cena resultó complicada desde muchos puntos de vista. Los niños estaban preocupados porque pensaban que si los aldeanos seguían buscando, antes o después darían con los burros, y todas las sospechas recaerían sobre ellos, porque eran los únicos que iban a Hespérides. Entre pincelada y pincelada, el general de división Finchberry-White se había pasado la tarde perfeccionando algunos mensajes de tamtam congoleño sobre su pierna, y no hacía más que pedir cosas como la sal, la pimienta y pan por ese sistema. Como la señora Finchberry-White no era capaz de descifrar los mensajes de tamtam congoleño, se fue poniendo cada vez más nerviosa, y el general cada vez más irritable. Pero por fin los niños acabaron de cenar, se escurrieron por los olivares plateados por la luna y cruzaron a Hespérides para dar de comer a los burros.

De todos los habitantes de la comarca, probablemente eran los dieciocho burros y el caballito del alcalde quienes más disfrutaban de la vida en ese momento. Habían pasado un día muy tranquilo sesteando y comiendo, y ahora aquellos simpáticos niños volvían para ponerles más comida. ¿Qué más podía pedir un burro?

Capítulo 8

Solución

A la mañana siguiente, para consternación del inspector Steropes y de todo el pueblo, se encontró otro cartel que decía BURROS DEL MUNDO, UNIOS, clavado a la puerta de la casa del alcalde. Amanda y David se quedaron tan atónitos y alarmados como los aldeanos.

—Habrá sido Yani —dijo David—. Es tonto.

—Será tonto, pero les ha puesto a todos de cabeza —dijo Amanda.

Pero cuando fueron a ver a Yani él negó acaloradamente saber nada del cartel.

—Pues ¿quién ha sido? —preguntó Amanda.

Todos se volvieron a mirar a Coocos como sospechoso más probable, y Coocos asintió con la cabeza vigorosamente y sonrió a Amanda. Con grandes dificultades debido a su tartamudez, explicó que, como habían puesto un cartel como ése la noche que se llevaron a los burros, él había creído que había que poner otro igual todas las noches.

—¡Oh, Coocos, eres idiota! —dijo David desesperado.

—¡No le trates así! —dijo Amanda indignada—. El pobrecillo sólo pretendía ayudar. ·

—Pues no creo que nos ayude mucho —dijo Yani muy serio—. Los del pueblo y el inspector se han enfadado tanto que lo más seguro será que redoblen sus esfuerzos.

Y era verdad que los del pueblo estaban enfadados.

—¡A quien se le diga que aun estando aquí el inspector los comunistas entran y salen del pueblo como Pedro por su casa! —rugió Papa Nikos, colorado como un tomate—. ¡Hay que hacer algo!

—¡Sí señor, hay que hacer algo! —rugieron los aldeanos.

—Tranquilos, tranquilos —les apaciguó el inspector—. Ahora por la mañana llevaremos a cabo otra operación de búsqueda. Ayer casi lo logramos. Hoy lo lograremos.

Pero no había más que ver a los aldeanos para darse cuenta de que no compartían el optimismo del inspector. De todos modos, acompañado de sus dos fieles sabuesos y su cuadrilla de policías y voluntarios, el inspector pasó una mañana calurosa y pegajosa trepando por todos los montes de las cercanías de Kalanero, para regresar al mediodía derrotado y sin burros.

—Voy a ir a ver al general Finchberry-White —le dijo al alcalde—. Es un hombre de gran valor, coraje e inteligencia, y además compatriota de Sherlock Holmes. Estoy seguro de que podrá darnos algún consejo provechoso.

Así que Prometheous Steropes subió a la villa.

—¡Dios mío! ¡No será que nos ha descubierto! —exclamó David cuando le vieron llegar—. ¿Tú qué crees?

—No, seguro que no —dijo Amanda, sintiendo como un peso en la boca del estómago—. Habrá venido a saludar a papá.

—¡Ah, queridos niños! —dijo Steropes, dirigiéndoles sonrisas cariñosas—. ¿Está vuestro padre en casa? Tengo mucho interés en hablar con él.

—Sí, señor inspector —dijo Amanda sumisamente—. Está afuera en la terraza, pintando.

—¿Se le puede interrumpir? —preguntó Steropes.

—Sí, sí —dijo Amanda—. Por mucho que se le interrumpa siempre pintará igual de mal.

—No deberías decir eso —dijo el inspector escandalizado—. Tu padre es un gran artista.

Y salió a la terraza, donde el general estaba dando los últimos toques a una puesta de sol que parecía una explosión atómica.

—¡Querido inspector! —dijo el general, dejando a un lado los pinceles y adelantándose cojeando para estrecharle la mano—. ¡Cuánto me alegro de verle!

—¿Tendría usted la amabilidad de permitir que interrumpa su trabajo durante unos pocos minutos? —preguntó Steropes.

—No faltaba más, amigo mío —dijo el general.

Y sacando la pipa del bolsillo interpretó sobre su pierna un ritmo rápido y complicado.

—Del Congo —le explicó al inspector—. Es lo que allí llaman tambores parlantes; sirven para enviar mensajes. Acabo de estar enseñándoselo a mi mujer. Vamos a ver si funciona. Siéntese, siéntese, por favor.

En ese momento apareció en la

terraza la señora Finchberry-White, con una bandeja grande de botellas y copas.

—¡Magnífico, Agnes! ¡Lo entendiste! —dijo el general, sorprendido y embelesado.

—¿Qué es lo que he entendido, querido? —preguntó la señora Finchberry-White, despistada.

—El mensaje —explicó el general.

—¿Qué mensaje? —preguntó la señora Finchberry-White.

—El mensaje de que nos trajeras algo de beber —dijo el general.

—¡Ah! ¡Ah, sí! —dijo la señora Finchberry-White—. Amanda me lo dijo.

El general suspiró abatido.

—Tome una copa, inspector —dijo. Por unos momentos se dedicaron a

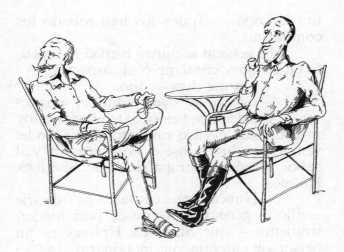

paladear sus *ouzos,* y el inspector hizo amables comentarios sobre el último cuadro del general.

—Y dígame —preguntó el general—, ¿qué es lo que le trae por Kalanero?

—Pues es precisamente la razón de que haya venido a verle —dijo el inspector—. Estoy aquí investigando uno de los peores casos de toda mi carrera.

—¡Caramba! ¿Cómo es eso? —preguntó el general.

—¿Es posible que todavía no sepa usted lo de los burros? —dijo el inspector.

—¿Los burros? —repitió el general con perplejidad—. ¿Qué burros?

—Todos los burros de Kalanero —dijo el inspector, haciendo un ademán de abrir mucho los brazos, con lo que casi tira la copa—. Todos los han robado los comunistas.

El general se ajustó bien el monóculo en el ojo y contempló al inspector.

—No me diga —dijo.

—Como lo oye —dijo el inspector—. Desde hace veinticuatro horas estoy investigando el caso sin éxito, y por eso he venido a pedirle consejo. Porque, al fin y al cabo, usted es compatriota de Sherlock Holmes.

—Nunca me cansaré de decirle —dijo el general con aire de paciente sufrimiento— que Sherlock Holmes es un personaje enteramente imaginario.

—Ah, pero es que no es posible que un hombre con tales poderes mentales haya sido *enteramente* imaginario —dijo el inspector—. Yo aspiro a ir a Londres algún día y conocer el lugar donde vivió. Pero volvamos a los burros. Ya que hasta este momento mis investigaciones no han dado ningún fruto (y puede usted estar seguro de que no he dejado piedra sin remover), le agradecería mucho que me diera usted su consejo.

El general se quitó el monóculo, lo frotó cuidadosamente y se lo volvió a poner, con expresión un poco ceñuda.

—Mi querido inspector —dijo—, yo vengo aquí una vez al año en busca de paz y tranquilidad para poder pintar. Durante mi estancia procuro no inmiscuirme en la política de la isla. El primer año intentaron obligarme a decidir a quién pertenecían unas vacas. El segundo año quisieron que dictaminara si Papa Yorgo había estafado a Papa Nikos con tres quintales de aceituna, y el tercer año quisieron que dictaminara si era lícito que Kouzos pusiera un candado en su pozo para que nadie pudiera beber de él. En las tres ocasiones me negué a intervenir, así que verdaderamente no veo la manera de ayudarle en esta cuestión.

Amanda y David, apostados tras las contraventanas entornadas del cuarto de estar, escuchaban la conversación sin atreverse casi a respirar.

—Eso está muy bien —susurró Amanda—. Si papá le ayudara podría llegar a alguna parte.

—Pero, mi general —suplicó el inspector—, piense que mi *futuro* entero depende de usted. Si resuelvo satisfactoriamente este caso, quién sabe, el asunto podría llegar a oídos de mis superiores de Atenas y quizá incluso me ganase un ascenso.

El general se puso en pie, encendió la pipa y echó a andar lentamente por la terraza, renqueando con el inspector a su lado. Aquello le fastidió mucho a Amanda y David, porque mientras caminaban su padre y el inspector sólo llegaban hasta ellos algunos retazos de la conversación.

—...y casos semejantes —decía el general—, sucede a menudo... yo recuerdo que una vez estando en Bangalore, donde perdí la pierna... pero lo que usted tiene que hacer...

Aguzaron el oído, pero no pudieron entender qué era lo que proponía el general. Al poco rato el inspector, muy sonriente, se despidió.

Los Finchberry-White se sentaron a almorzar. Amanda y David se miraban intranquilos, porque su padre parecía estar de excelente humor. Entre bocado y bocado tarareaba fragmentos de «Lilí Marlén».

—¿Qué quería el inspector, papá? —preguntó por fin Amanda, vencida por la curiosidad.

—¿El inspector? —repitió el general—. Nada, venía a pasar un rato y a pedirme consejo sobre un pequeño problema.

—¿Y le has podido ayudar, querido? —preguntó la señora Finchberry-White.

—Creo que sí —dijo el general alegremente.

Amanda y David se apresuraron a vaciar el plato y abandonaron la mesa a toda prisa. Era evidente que el general no pensaba revelar en qué había consistido su consejo, así que su única esperanza de averiguarlo estaba en no perder de vista al inspector. Bajaron corriendo a casa de Yani, y todavía sin resuello le contaron las noticias. Luego los tres se dirigieron al pueblo. Allí se encontraron con que el inspector había convocado una reunión extraordinaria del consejo municipal. Ni que decir tiene que a la misma asistía también la mayor parte de la población.

—De modo que, como ya he dicho antes —estaba diciendo el inspector, con la pipa firmemente sujeta entre los dientes—, este caso presenta muchos aspectos insólitos. Ya saben ustedes que he intentado resolverlo mediante los métodos más modernos y perfeccionados de la detección. Pero la detección, como ustedes saben, se basa en el juego limpio, y los comunistas, como ustedes saben, no entienden siquiera lo que es eso. Y eso es lo que nos ha perdido.

—Cierto, cierto —asintió Papa Yorgo—. Yo recuerdo que una vez me robó toda la cosecha de fresón uno de Melisa que era comunista declarado. Como dice el inspector, no saben lo que es jugar limpio.

—Así es —dijo el inspector—. Por eso he decidido adoptar otra estrategia.

—¿Cuál, cuál? —preguntaron ansiosos los aldeanos.

—He decidido —dijo el inspector, adoptando una expresión severa y noble— que ofrezcamos, o mejor dicho que ofrezcan ustedes, una recompensa por la devolución de sus burros.

Al oír aquello hubo un murmullo de consternación.

—¿Pero de dónde vamos a sacar

el dinero para pagar por tantos burros? —gimió Mama Agathi.

—Yo tengo aquí —dijo el inspector, sacando del bolsillo un papel y depositándolo sobre la mesa—, yo tengo aquí la lista de todos los animales sustraídos, y sus precios aproximados en el mercado. La totalidad asciende a veinticinco mil dracmas.

De los aldeanos brotó un gemido de aflicción.

—¿Pero de dónde sacamos veinticinco mil dracmas? —preguntó Papa Nikos desesperanzado.

—¡Ahí está el quid! —dijo el inspector astutamente—. No se trata de ofrecer una recompensa que ascienda a esa suma. Se trata de ofrecer una recompensa más modesta, pero suficiente para que resulte tentadora. De todos es sabido que a los comunistas les atrae el dinero, de modo que, si ofrecemos esa recompensa, es seguro que uno de los ladrones traicione a los otros, porque, como antes les decía, no saben lo que es jugar limpio.

—Es una idea muy buena, pero aquí todos somos pobres —señaló Papa Nikos.

—Sí, sí —se apresuró a confirmar el alcalde—, aquí todos somos pobres. De mí me atrevería a decir que soy casi menesteroso.

—Bah, ¿tú menesteroso? —dijo Papa Nikos con infinito desdén—. Todo el mundo sabe que eres el más rico del pueblo. Deberías ser *tú* el que ofreciera la recompensa.

—¡Eso, eso! —dijeron los aldeanos a coro—. Es lo más justo. Al fin y al cabo, es el más rico del pueblo y además es el alcalde.

—Sí, creo que tienen ustedes toda la razón —dijo el inspector.

Aún le escocía el asunto de la perra de Oizus, y ahora veía la ocasión ideal de sacarse la espina.

—Pero si os estoy diciendo que soy pobre —gimió el alcalde.

—A ver si dentro de poco, además de ser pobre, no eres siquiera alcalde —dijo ceñudamente Papa Nikos.

—¡Sí! —dijo Papa Yorgo—. ¿Le gustaría al inspector conocer la historia de los boniatos?

El alcalde se puso lívido, porque no sabía que nadie estuviera enterado de la gran estafa que había hecho el año anterior.

—Iba a decir —dijo desesperado—, lo que pasa es que no me dejáis acabar, que aunque soy pobre estoy dispuesto a ofrecer una modesta recompensa, de, pongamos, quinientas dracmas.

Los aldeanos rieron sarcásticamente.

—Con eso no recuperamos los burros —dijeron a coro.

—No —convino el inspector—. No,

es demasiado poco. Tendría que ser mucho más.

—Bueno, pues digamos que mil dracmas —sugirió el alcalde, haciendo un esfuerzo.

—¡Mentecato! —dijo Papa Nikos con desdén—. Si tú hubieras robado unos burros que valen veinticinco mil dracmas, ¿vendrías a informar de su paradero por una miseria de mil?

—Sí, yo también me inclino a esa opinión —dijo serio el inspector—. Tendrá que ser una cantidad mucho más importante.

—¡Cinco mil dracmas! —dijo el alcalde, a quien el sudor le corría en hilillos por la cara redonda y se le metía en sus bigotes de morsa.

—¡Que sean veinte! —sugirió alguien de entre la multitud.

—Eso estaría mucho mejor —asintió el inspector—. Veinte mil dracmas sería una suma bastante tentadora.

—Está bien, de acuerdo —dijo el alcalde, enjugándose la frente con un pañuelo—. Veinte mil dracmas.

Un murmullo de aprobación se extendió por la multitud.

—Oiga usted —dijo Papa Nikos dirigiéndose al inspector—: y cuando ese comunista se le presente con la información, ¿qué piensa usted hacer con él?

—Pues darle el dinero, naturalmente —dijo el inspector.

—¿Pero no le va a detener? —preguntó Papa Nikos sorprendido—. De todos modos, será un comunista.

—Es bien sabido —dijo el inspector juiciosamente— que cuando un comunista tiene dinero deja de ser comunista. Así que ya no habrá motivo para detenerle.

A los aldeanos les impresionó mucho aquella poderosa argumentación.

—Oiga, ¿y cómo vamos a hacer que se enteren de lo de la recompensa? —preguntó Papa Yorgo.

Todos meditaron sobre ello durante unos instantes.

—¡Carteles! —dijo de pronto Oizus, con la primera idea original que se le ocurría desde que estaba en la alcaldía—. Pondremos carteles.

—¿Pero dónde los vamos a poner? —preguntó Papa Yorgo.

—Habría que diseminarlos como hicieron durante la guerra —dijo Papa Nikos.

—Un aeroplano sería la solución —dijo el inspector—, o un helicóptero, pero se tardaría demasiado en que nos lo enviasen desde Atenas. No, yo sugiero que los pongamos en todos los sitios donde *puedan* verlos los comunistas.

—¿Y eso dónde es? —preguntó Papa Nikos—. Normalmente los ponemos en el pueblo.

—Fuera, en los olivares —explicó el inspector, accionando con las manos—, en los viñedos y en los campos donde se ocultan.

—¿Y de dónde sacamos los carteles? —preguntó el alcalde.

Aquél fue el gran momento del inspector, que se enderezó majestuosamente y dijo:

—Yo tengo un primo en Melisa que es propietario de una imprenta, y él los imprimirá para ustedes... gratis.

El estallido de aplausos y bravos que brotaron de la multitud fue atronador, y el inspector sonrió satisfecho, seguro de haberse ganado otra vez la aprobación de los lugareños.

—¿Y qué ponemos en los carteles? —preguntó Papa Nikos—. No nos podemos dirigir a nadie en particular, porque no sabemos quiénes son.

—He estado pensando en eso —dijo el inspector con orgullo, y sacó del bolsillo otro papel.

—Este es el texto —siguió diciendo, mientras escribía afanosamente— que yo sugiero: «A todos los interesados, y a los comunistas en particular: Nosotros, el pueblo de Kalanero, estamos dispuestos a abonar la suma de veinte mil dracmas a cambio de información sobre el paradero de nuestros burros».

—«Firmado» —continuó—, «Oizus, alcalde». Ahora me lo llevaré a Melisa y diré que lo impriman, y para mañana estarán listos los carteles.

Se marchó en el coche de policía, despedido por los vítores de los aldeanos, y éstos se fueron cada uno a su casa, charlando animadamente. Sólo el alcalde parecía entristecido. Los niños no cabían en sí de emoción.

—¡Es maravilloso! —dijo Amanda, con los ojos brillantes—. ¡Te hemos salvado, Yani, te hemos salvado!

—No cantes victoria todavía —dijo David.

—¡Por qué serás siempre tan pesimista! —dijo Amanda—. Pues claro que le hemos salvado. Lo único que tiene que hacer es decir dónde están los burros y pedir la recompensa.

—¿Pero es que no te das cuenta de que si pidiera la recompensa todo el mundo pensaría que había sido él el que robó los burros?

—Eso es verdad, Amanda —dijo Yani—, porque todo el pueblo sabe que el alcalde me tiene amenazado.

—Yo creo que eso no importa —dijo Amanda—. Podemos pedir nosotros la recompensa y luego dársela a Yani. Yo creo que los del pueblo se pondrán tan contentos al ver que recuperan sus burros, que les dará igual saber quién se los llevó.

—Bueno, pues no nos hagamos demasiadas ilusiones —dijo David—. Yo no me fío ni un pelo del alcalde. A lo mejor intenta dar marcha atrás.

—No creo que pudiera hacerlo —dijo Yani—. Tendrá demasiado miedo de lo que harían con él los del pueblo si se atreviera.

—Bueno, ya se verá —dijo sentencioso David.

A la mañana siguiente volvió de Melisa el coche de policía, y de su parte trasera el inspector sacó con orgullo una pila enorme de carteles elegantemente impresos en rojo sobre fondo blanco, y con la cifra de veinte mil dracmas escrita en caracteres grandísimos (letras y números), por si acaso, según señaló, el comunista era analfabeto.

Los carteles tuvieron un éxito inmediato. Aparte de cualquier otra consideración, eran muy agradables a la vista. El primo del inspector no era un impresor muy experto, y por ello las líneas de lo escrito subían y bajaban como las olas del mar, pero todos estuvieron de acuerdo en que ese detalle no las estropeaba sino que les daba más gracia, y de hecho, según señaló Mama Agathi, eran unos carteles tan bonitos que sería una pena ponerlos donde sólo los vieran los comunistas. Todos los demás se mostraron de acuerdo, por lo cual apartaron un cartel y lo clavaron cuidadosamente a la puerta del café. Después se repartieron los restantes entre muchas discusiones y malos modos, porque eran tan bonitos que hasta los habitantes de Kalanero que no tenían burros, y a quienes por lo tanto no se les había robado nada, querían un cartel.

Los niños contemplaron con regocijo cómo los aldeanos se pasaban la mañana clavando cuidadosamente y con orgullo sus carteles en los olivos, en las cepas de los viñedos y en las empalizadas de caña que delimitaban los campos de labor. Mama Agathi estaba tan entusiasmada con sus dos carteles que incluso fue a pedirle prestado un plumero a la señora Finchberry-White para quitarles el polvo de vez en cuando, y estar segura de que ni una sola mota deslucía su prístina brillantez. Amanda y David iban muertos de risa cuando volvieron a la villa a comer.

—Ah, ya estáis aquí, queridos —dijo la señora Finchberry-White—. Ahora mismo iba a salir a buscaros. La comida estará un poco tarde. Hemos tenido un pequeño accidente con la sopa. Le dije a Agathi que la sirviera y no sé por qué la echó por el sumidero. Se disgustó mucho la pobre.

Los niños salieron a la terraza, donde el general guiñaba el ojo malévolamente para mirar su última obra maestra a través del monóculo.

—Mamá dice que la comida se retrasará un poco —informó Amanda—. Dice que no sabe por qué razón Mama Agathi tiró la sopa por el sumidero.

—Pues la razón es bien sencilla —dijo el general—: que tu madre, con ese

talento que tiene para los idiomas, en vez de que la sacase le dijo que la tirase, con el lógico resultado de que ella la echara por el sumidero.

—¡Ah! —dijo Amanda riendo—. No se me ocurrió que hubiera sido eso.

—A propósito —dijo el general, inclinándose para añadir un toque de color al cuadro—, espero que les estaréis dando suficiente comida a esos burros.

Amanda y David, que se acababan de tender boca arriba sobre el caliente enlosado, se incorporaron como si les hubieran pegado un tiro.

—¿Qué burros? —preguntó Amanda cautamente.

El general añadió otro toque de color al cuadro.

—Burros —dijo—. Ya sabéis lo que digo, unos cuadrúpedos, bestias de carga; unas cosas de largas orejas que rebuznan.

David y Amanda se miraron.

—No sé... a qué te refieres —dijo Amanda.

—Me refiero —dijo el general pacientemente— a todos los burros de Kalanero, que tenéis cuidadosamente ocultos en Hespérides.

Los niños se miraron con horror.

—¿Cómo te has podido enterar? —dijo Amanda.

El general dejó la paleta y el pincel, sacó la pipa y la encendió.

—Ya os dije el otro día que no tengo por costumbre revelar mis fuentes de información —dijo—. Pero por una vez os lo diré. Coocos ha sido mi informante.

—¿Coocos? —dijeron los niños a coro con voz incrédula—. ¿Coocos te lo ha dicho?

—Sí. Me ha tenido informado desde el primer momento.

—Pero no es posible —dijo Amanda—. ¿Cómo va a haber sido Coocos? Si ni siquiera sabe hablar.

—Al contrario, sabe hablar muy bien —dijo el general—. Padece un defecto del habla, no de la mente. Lo que ocurre es que todos tenemos tan poca paciencia que nadie le deja hablar. A Coocos le encanta hablar, pero nadie le deja.

—Pobre Coocos —dijo Amanda lentamente—. Nunca se me había ocurrido pensar en eso.

—Pero yo sí tengo la paciencia de escucharle —siguió diciendo el general—, y por eso siempre que puede se viene por aquí, y yo pinto y él habla. Pero no creáis que os ha traicionado con decírmelo. Coocos tenía la impresión de que yo era el cerebro rector de todo el complot, porque os había oído decir algo de pedirme consejo.

—Ah, sí, sobre el secuestro —dijo Amanda.

—Eso pensé yo —dijo el general—. Pero no quise desengañarle, así que he ido recibiendo con interés un caudal constante de noticias sobre la marcha de la conjura.

—Pero ¿por qué nos has dejado seguir? —preguntó David.

—Mi querido David —dijo el general—, ya tenéis edad y cabeza suficientes para organizaros la vida vosotros solos. Si queríais meteros en líos, eso era cosa vuestra, no mía. En cualquier caso, como actuabais guiados por la mejor intención, no vi absolutamente ninguna razón para entrometerme.

—Entonces, ¿qué le dijiste al inspector? —preguntó Amanda.

—Ah, ahí debo decir que *sí* me entrometí ligeramente —dijo el general,

dando chupadas a la pipa—. Me parecía
que no habíais cometido ningún delito
grave al llevaros a los burros, puesto que
pensabais devolverlos. Ahora bien, en el
caso de que enviarais una nota pidiendo
rescate (lo cual me imaginé que sería vuestro paso siguiente), entonces me temía no
poder salvaros de las iras de la ley. Por eso
le sugerí al inspector que lo mejor era
ofrecer una recompensa.

—Papá, eres muy inteligente —dijo
Amanda con admiración.

—Muchas veces me quedo yo mismo deslumbrado de mi agudeza —dijo el
general modestamente.

—¿Y ahora qué te parece que debe-
mos hacer? —preguntó Amanda.

—Yo os aconsejaría que esperéis
hasta mañana —dijo el general—, y que
mañana reveléis el paradero de los burros
y pidáis la recompensa.

Vació la pipa sobre el borde de la
terraza y tarareó en voz baja unos compa-
ses de «Lilí Marlén».

—Yo me animaría incluso —observó— a ir andando hasta la plaza del
pueblo por ver pagar a Oizus. La verdad es
que yo no le tengo mucha más simpatía de
la que podáis tenerle vosotros, y da la
casualidad de que aprecio mucho a Yani.

Capítulo 9

Pago

Después de comer, los niños bajaron a celebrar su último consejo de guerra con Yani.

—La verdad es que deberíamos echarle una bronca a Coocos —dijo David según iban caminando por el olivar.

—¡Ni se te ocurra! —dijo Amanda indignada—. Sólo quería ayudarnos.

—Sí, pero lo habría echado todo a perder si papá se hubiera puesto flamenco —señaló David.

—Pues no te permito que le digas ni una palabra —dijo Amanda con firmeza—. ¿Te gustaría a ti ir por el mundo queriendo hablar y sin que nadie te dejara?

—Está bien —dijo David sumiso—, pero esas cosas son precisamente las que estropean los mejores planes.

Cuando se lo contaron a Yani se quedó tan horrorizado como ellos, pero también él dio la razón a Amanda y opinó que no se le debía decir nada a Coocos sobre el asunto.

—Ahora ya sólo queda pedir la recompensa —dijo Amanda enérgicamente—. Yo opino que esta tarde sería buen momento para descubrir dónde están los burros.

—Oye, vamos a dejar esto bien claro —dijo David—. Yani no debe meterse en lo del descubrimiento de los burros. Si lo hiciera, el alcalde sabría que participó en el secuestro. Tenemos que hacerlo nosotros solos.

—De acuerdo —dijo Amanda—. Cruzamos a Hespérides a eso de las cuatro y los descubrimos allí. ¡Sorpresa, sorpresa!

—Sí —dijo David—, porque para cuando volvamos al pueblo con la noticia todo el mundo habrá dormido ya la siesta.

—¿Cómo reaccionarán? —se preguntó Amanda.

—Estarán agradecidísimos —dijo Yani riendo por lo bajo—. Yo creo que hasta ahora no se habían dado cuenta de lo necesarios que son los burros.

—Es muy poco probable que el alcalde tenga veinte mil dracmas en casa —observó David sagazmente—, lo cual significa que tendrá que ir a Melisa por el dinero, lo cual significa que en realidad no cobraremos la recompensa hasta mañana.

—Bueno, eso da igual —dijo Amanda—. Nos da lo mismo cobrarla hoy que mañana.

—No. Porque si consulta con la almohada, a lo mejor cambia de opinión —señaló David.

—Sí, pero no puede ir a Melisa esta tarde, porque estará cerrado el banco —dijo Yani.

David frunció el ceño y suspiró.

—Sí. No se me ocurre otra manera de hacerlo —dijo—. Habrá que correr ese riesgo.

Conque aquella tarde Yani y Coocos hicieron ver claramente a cuantos aldeanos se encontraron que se iban a echar la siesta, y, cuando ya eran cerca de las cuatro, Amanda y David cruzaron a nado las tibias aguas azules hasta Hespérides.

—Tendrás que reconocer —dijo Amanda, mientras se sacudía el cabello y pasaba revista a los burros y el potro del alcalde— que tienen muchísimo mejor aspecto después de este descanso.

—Sí que lo tienen —asintió David—. Como que no estaría mal que les pasara esto una vez al año.

—¿El qué, que los trajeran a Hespérides? —preguntó Amanda.

—Sí —dijo David—, como si fuera una especie de campamento de vacaciones para burros.

—Sería buena idea —dijo Amanda pensativa—, pero dudo que los del pueblo se dejaran convencer.

—Bueno —dijo David—, lo que tú tienes que hacer es volver corriendo al pueblo. A estas horas el alcalde estará ya despierto, tomándose el primer café, y todos los demás estarán también en pie. Acuérdate de echarle todo el dramatismo que puedas, y por lo que más quieras no te rías.

—Yo no me río —dijo Amanda austeramente.

—Claro que sí, no haces más que reírte por todo.

—Sólo me río cuando algo me hace gracia.

—Bueno, pues esto no la tiene, así que estate seriecita.

De modo que, luego de darles unas palmaditas a las peludas grupas de los burros Amanda bajó presurosa la escalinata de piedra de la iglesia y una vez más se tiró al agua. Para dar un aire de autenticidad a su actuación subió el monte corriendo, y llegó a la plaza del pueblo exhausta y sin aliento.

Tal y como habían supuesto, el alcalde, Papa Nikos y muchos otros miembros de la población se acababan de levantar de la siesta y se habían congregado en torno a las mesas del café para discutir el tema candente: cuándo recibirían información de los comunistas sobre el paradero de sus burros. Estaban metidos en una larga y complicadísima discusión sobre si los comunistas sabían leer o no cuando Amanda entró en la plaza a la carrera, sudando por todos sus poros.

—¡Señor alcalde, señor alcalde, que los hemos encontrado! —jadeó, y se desmoronó, exhausta y sin resuello, en el regazo del alcalde.

—¿Que habéis encontrado qué, hija mía? —preguntó él sorprendido.

Pero por la incoherencia de Amanda era evidente que no estaba en condiciones de responderle, así que la atiborraron de vino y le dieron palmaditas en la espalda e hicieron ruidos tranquilizantes hasta que recuperó el aliento.

—Los burros —dijo por fin entre boqueadas—. Los hemos encontrado.

El efecto de aquella afirmación fue como una descarga eléctrica. El alcalde se levantó del asiento, dejando caer a Amanda al suelo y poniendo patas arriba la mesa, que sostenía doce *ouzos* y cinco tazas de café.

—¿Qué dices? —preguntó a la postrada Amanda—. ¿Que los habéis encontrado?

—¿Dónde, dónde? —gritó Papa Nikos.

—¿Dónde están?

—Dínoslo, dínoslo deprisa —dijo Papa Yorgo.

Pero Amanda disfrutaba de los efectos teatrales tanto como los propios lugareños, así que se puso en pie y se apoyó trágicamente en la mesa patas arriba.

—¡Los hemos encontrado! —repitió con un sollozo.

—¡Los han encontrado! —gritó el alcalde—. ¡Han encontrado a los burros!

Inmediatamente corrió la voz de casa en casa, y como por arte de magia la placita se llenó de aldeanos, todos clamando por saber la verdad.

—¿Dónde están, dónde están? —preguntó Papa Nikos.

Amanda respiró hondo, se estremeció y alzó noblemente la cabeza.

—Esta tarde, David y yo —dijo con voz temblorosa— salimos a bañarnos. Y fuimos nadando hasta Hespérides. Creo que todos ustedes lo conocen, ¿no?

'Hubo un murmullo de asentimiento por parte de todos los presentes, que fue

161

rápidamente acallado por no perder ni una
palabra del relato.

—Subimos los escalones hasta la
explanada que hay al lado de la iglesia
—prosiguió Amanda, estirando la historia
todo lo que podía.

—Sí, sí, la conocemos, la conocemos —dijeron los aldeanos.

—¡Y allí —dijo Amanda con expresión melodramática—, cuál no sería nuestro asombro cuando encontramos a todos
los burros y el potro del alcalde!

—¡San Policarpo nos valga! —exclamó el alcalde—. ¡Es un milagro!

—¿Había comunistas con ellos?
—preguntó Papa Yorgo.

—No —dijo Amanda—. No había
ningún comunista, y parece como si los
hubieran tenido bien cuidados.

—¡Loado sea Dios! —exclamó Papa Nikos—. Pobres hijos míos, si os hubierais encontrado con una banda de comunistas, quién sabe lo que os habrían podido hacer.

—Pero tenemos que ir a recogerlos —dijo el alcalde—. Hay que recogerlos en seguida, antes de que regresen los comunistas.

—Ah, no se preocupen, David se ha quedado con ellos —dijo Amanda—. Estando él allí no pasará nada.

—Cuanto antes los recuperemos, mejor —dijo Papa Nikos.

—¡Todos a las barcas! —gritó Papa Yorgo—. ¡Todos a las barcas para ir a recogerlos!

Y los habitantes de Kalanero, con Amanda a la cabeza, bajaron a todo correr la pedregosa ladera, tropezando algunos y rodando por tierra, hasta el diminuto fondeadero del pueblo, donde estaban ancladas las barquitas de pesca, y que estaba situado a poca distancia de Hespérides.

Allí se armó un lío tremendo: a unos se les enredaban las cadenas del ancla, otros sin querer se daban trastazos con los remos y, con gran satisfacción de Amanda, el alcalde quiso subir a una barca que en ese momento se apartaba y se cayó al agua. Pero por fin todas las barquitas, rebosantes de aldeanos ansiosos, cruzaron juntas las aguas azules hasta Hespérides. A David, que contemplaba su avance hacia la isla, le parecía estar viendo unas lanchas de placer que había visto una vez en la playa inglesa de Swanage, repletas de excursionistas que se embarcaban para dar una vuelta a la bahía. La primera barca que fondeó en las orillas de Hespérides fue la que llevaba al empapado alcalde, y las demás no tardaron en seguirla. Saltaron a tierra los aldeanos, y tras subir corriendo la escalinata se detuvieron dramáticamente para soltar exclamaciones de alegría a la vista de la hilera que formaban sus burros y el potro del alcalde, todos ellos comiendo plácidamente.

—¡Mi potro, mi potro! —gimoteó el alcalde, surcadas de lágrimas sus mejillas.

Y, cosa nunca vista, echó los brazos al cuello de su burro más grande y le dio

un beso en el morro. Incluso a Kouzos, que no se distinguía por su buen trato a los animales, se le vio dar palmaditas a sus burros disimuladamente, con la cara iluminada por una amplia sonrisa de contento.

—Pero ¿cómo los habrán traído hasta aquí los comunistas? —preguntó Papa Nikos cuando ya la excitación se había calmado un poco—. Les habrá hecho falta un barco muy grande para transportar a todos estos animales.

—Puede que no —dijo Amanda— A lo mejor los han traído a nado.

—¿Los burros *nadan*? —preguntó Papa Nikos.

A Amanda le costó mucho trabajo mantener la cara seria.

—Pregúnteselo al alcalde —respondió.

—Sí, sí, sí que nadan —dijo el alcalde—. Aquel día que me caí del puente y estos valientes niños me salvaron, mi burro nadaba como un pez.

—Les sugiero que se los lleven ustedes de la misma manera —dijo Amanda.

Así que, con infinito cuidado, los aldeanos condujeron a sus burros por los escalones de la iglesita hasta la orilla de Hespérides. Pero evidentemente la vacación les había sentado demasiado bien a los burros y el potro. Se mostraron aún más reacios a entrar en el agua que cuando los llevaban los niños, con el resultado de que la playa tomó todas las apariencias de un rodeo incontrolado, lleno de aldeanos empujando y tirando y luchando por meter en el agua a sus burros. A poco de iniciarse la cuestión el alcalde recibió una coz de su potro en el estómago y tuvo que ir a tumbarse al pie de un ciprés para reponerse, dejando a Amanda y David la tarea de meter en el mar a sus bestias de carga. Pasado cierto tiempo, sin embargo, la flotilla de barquitas pudo regresar remando a tierra firme, con la hilera de burros recalcitrantes nadando detrás, hasta el fondeadero. Allí se había congregado el resto del pueblo, que les recibió con esa clase de ovación que normalmente se reserva para despedir la primera salida de un gran transatlántico. Todos tenían que tocar a los burros y darles palmaditas, todos exclamaban qué milagro había sido encontrarlos y qué listos eran Amanda y David. Por fin llegaron agotados a la plaza del pueblo, donde el alcalde, en un arranque de generosidad sin precedentes, mandó llevar una botella de su propio vino para brindar por Amanda y David. Solemnemente se brindó por los niños, y luego, mientras bebían, los aldeanos les aclamaron con gritos de «¡Bravo!», «¡Hurra por los niños!», «¡Vivan los rubitos!» y otros por el estilo.

—No se le olvidará a usted la recompensa, ¿verdad, señor alcalde? —preguntó Amanda dulcemente, dejando el vaso vacío sobre la mesa.

El alcalde, que hasta ese momento era todo sonrisas, dio un respingo y casi soltó el vaso.

—¿Recompensa? —dijo—. ¿Recompensa?

—Acuérdese, lo que ponía en los carteles —dijo David—. La recompensa de veinte mil dracmas.

—¡Ah, *eso*! —dijo el alcalde—. Ah..., hum..., sí, pero eso era para que se destaparan los comunistas. Era una trampa, por así decirlo.

—Te lo avisé —susurró David al oído de Amanda.

—Pero, señor alcalde —dijo Amanda con firmeza—, en los carteles dice muy claro que pagarán ustedes veinte mil dracmas a quien les informe del paradero de los burros. Nosotros no sólo les hemos informado de su paradero, sino que les hemos llevado hasta allí. Así que tenemos derecho a la recompensa.

—Pero, hijitos míos —dijo el alcalde, empezando a sudar—, todo eso era una broma.

—No era una broma, y tú lo sabes —dijo severamente Papa Nikos.

—No, no, no era una broma —dijo Papa Yorgo.

—Tú te ofreciste a pagar la recompensa, y la tienes que pagar —dijo Papa Nikos—. Estos niños se la han ganado.

—¡Claro que sí, se la han ganado!
—dijeron a coro los lugareños.

—Está bien —dijo el alcalde desesperado—, si es una decisión unánime tendré que pagarla, pero ahora mismo no
tengo aquí el dinero. Tendré que ir por él a
Melisa.

—No importa —dijo Amanda con
dulzura—. Vendremos a recogerlo mañana
por la tarde, a las cuatro.

—Eso, eso, a las cuatro —corearon
los aldeanos.

—A las cuatro —asintió el alcalde
alicaído.

Conque los niños, luego de dejarse
dar palmaditas, abrazos y besos por los
agradecidos habitantes de Kalanero, regresaron a la villa.

—¿Qué tal? —preguntó el general
cuando salieron a la terraza—. ¿Cómo ha
ido todo?

—Espléndido —dijo Amanda—.
Deberías haber visto al alcalde caerse al
agua; fue todavía más divertido que cuando se cayó del puente.

—Sí, yo eso me lo he perdido —dijo
David tristemente.

—Y luego —siguió diciendo Amanda—, estaban tan emocionados por recuperar a sus burros que el alcalde llegó a
besar a los suyos.

—Mejor iría el mundo —observó el
general— si la gente dedicara más tiempo
a besar a los burros.

—Las pasaron moradas para convencerlos de que volvieran a nado —dijo David—, y el potro del alcalde le dio una coz en el estómago.

—Se la tenía ganada hace mucho tiempo —dijo el general con notable satisfacción.

—Los volvimos a traer a todos, y luego le pedimos la recompensa al alcalde —dijo David.

—¡Ah! —dijo el general—. ¿Y él qué dijo?

—¡Pues quiso hacernos creer que todo había sido una broma! —respondió Amanda indignada.

—Te lo dije que lo haría —dijo David—. Yo no me fío nada de ese hombre.

—Afortunadamente —siguió diciendo Amanda—, todos los del pueblo se pusieron de nuestra parte y dijeron que nos habíamos ganado la recompensa, así que al final el alcalde tuvo que ceder. Mañana vamos a ir a recogerla a las cuatro.

—Magistral —dijo el general con satisfacción—. Verdaderamente magistral.

—Me sorprende que te parezca bien —dijo Amanda.

—¿Por qué había de parecerme mal? —dijo el general—. Ha sido un plan muy bien trazado y cuidadosamente puesto en práctica; no le ha hecho daño a nadie y le va a hacer a Yani mucho bien. No veo absolutamente ninguna razón por la que me debiera parecer mal.

Amanda se encogió de hombros. Los procesos mentales del general siempre habían sido y siempre serían un enigma para su hija.

—Yo también iré con vosotros —dijo el general—, y me llevaré a vuestra madre.

—¿A dónde me vas a llevar, Henry? —preguntó la señora Finchberry-White, que en ese momento salía a la terraza con aire bastante despistado.

—Al pueblo, a ver cómo Amanda y David cobran la recompensa —dijo el general.

—¿Qué recompensa? —dijo la señora Finchberry-White—. ¿Por qué les van a recompensar?

—Me he pasado toda la mañana —dijo el general irritado— contándotelo por el tambor de la pierna, y me niego en rotundo a volver a empezar.

—Es que los del pueblo perdieron sus burros —se apresuró a explicar Amanda—, y nosotros los hemos encontrado, y por eso podemos pedir la recompensa que ofrecieron por ellos.

—¡Cuánto me alegro, hija! —dijo la señora Finchberry-White—. ¿Habéis visto esa orquídea verde pequeñita que crece por donde esos árboles? Estoy casi, casi segura de que no la tengo en la colección.

A la mañana siguiente el alcalde, a

lomos de su potro, emprendió el trote por la carretera polvorienta hacia Melisa, y allí, aunque al hacerlo se le partía el alma, sacó veinte mil dracmas de su cuenta corriente, las contó cuidadosamente y se las guardó en la cartera. Luego regresó cabizbajo a Kalanero.

A las cuatro de la tarde no había un solo habitante de Kalanero, que fuera

demasiado viejo o demasiado joven para no estar presente, y que no estuviera en la plaza para ver la entrega de la recompensa. El placer que aquello proporcionaba a los aldeanos era doble: en primer lugar por lo estimados que eran en el pueblo Amanda y David, y en segundo lugar porque les entusiasmaba la idea de que el alcalde tuviera que despedirse de veinte mil dracmas. El general de división Finchberry-White y su esposa se quedaron al fondo de la multitud que llenaba la plaza, y Amanda y David se adelantaron hasta el café, donde el alcalde estaba sentado a una mesa que en honor a la ocasión se había cubierto con un mantel blanco. Una vez que hubo aceptado que no le quedaba más remedio que soltar el dinero, el alcalde decidió afrontar la situación de la mejor manera posible; y así, cuando Amanda y David se detuvieron delante de la mesa, él se puso en pie y pronunció un pequeño discurso.

—¡Pueblo de Kalanero! —dijo retóricamente—. Desde hace mucho tiempo viene siendo un timbre de gloria de Melisa, y en particular del pueblo de Kalanero, la buena disposición que en todo momento ha mostrado para acoger a forasteros en su seno, así como su hospitalidad para con ellos.

—Muy bien dicho —murmuró Papa Yorgo.

—Cuando estos rubitos vinieron

por vez primera a residir entre nosotros —continuó el alcalde—, al instante se ganaron nuestro corazón. ¡Bravos, nobles y modestos aristócratas!

Un murmullo de asentimiento corrió por toda la plaza.

—Mientras los hemos tenido aquí —dijo el alcalde— han hecho muchas cosas excelentes por nosotros, el pueblo de Kalanero, de las cuales no ha sido la menor el salvar mi vida cuando se hundió el puente bajo mis pies.

Hizo una pausa y se bebió un vaso de agua.

—Ahora —prosiguió, abriendo los brazos con dramático ademán—, con su astucia y su coraje han salvado al pueblo entero de Kalanero, al recuperar para nosotros nuestros burros y mi potro.

—Ya se podía callar —dijo David, que cada vez estaba más azorado.

—Pobre hombre, déjale que se divierta —susurró Amanda.

—Como todos sabéis —dijo el alcalde—, yo ofrecí una recompensa por la recuperación de los burros, y, porque soy hombre de palabra, quiero ahora hacer entrega de esa recompensa a estos dos niños maravillosos.

Con recio ademán se sacó la cartera del bolsillo, y procedió a contar con gran atención dos fajos de billetes de cien dracmas. A todos los aldeanos se les oía contar con el alcalde según éste iba pasando los billetes. Al dejar sobre la mesa el último billete, abrió los brazos y exclamó con voz estremecida:

—¡Veinte mil dracmas! Veinte mil dracmas que entrego por la recuperación de nuestros burros por obra de los dos forasteros de Melisa a quienes más queremos.

Las aclamaciones de la multitud fueron ensordecedoras.

—Venga, coge tú el dinero —murmuró David.

—No, cógelo tú —dijo Amanda, que se sentía tan culpable como él.

—Bueno, pues vamos a cogerlo juntos —dijo David como solución de compromiso.

Así que los dos dieron un paso al frente y cada uno cogió su fajo de diez mil dracmas. Al instante se hizo el silencio en la placita; era evidente que los aldeanos esperaban de ellos alguna réplica al discurso del alcalde. Amanda miró a David, pero él estaba todo colorado y confuso, de modo que ella se aclaró la voz y empezó.

—¡Pueblo de Kalanero! —dijo—. Hoy nos hemos visto muy honrados por el señor alcalde, porque él nos ha hecho entrega de la recompensa ofrecida por el descubrimiento de vuestros burros. Ahora bien, sabemos que muchos de los que estáis aquí reunidos sois pobres, mucho más pobres que nosotros, por ejemplo, y por eso mi hermano y yo pensamos que no sería justo quedarnos con este dinero.

El alcalde dio un respingo al oír esto, y en su alma se encendió una pequeña chispa de esperanza.

—Así que mi hermano y yo —siguió diciendo Amanda— hemos estado pensando qué sería lo mejor. Sabéis que todos los habitantes de Kalanero son nuestros amigos, pero uno de los más amigos es Yani Panioti.

Hizo una seña a Yani, que estaba entre la multitud, y él se adelantó y se puso junto a ellos dos al lado de la mesa.

—Como sabéis —dijo Amanda—, el padre de Yani falleció el año pasado, y desdichadamente dejó deudas.

—Sí, sí, lo sabemos —murmuraron los aldeanos.

—Así que mi hermano y yo —dijo Amanda— hemos decidido entregar este dinero a Yani, para que con él pueda pagar las deudas que dejó su padre.

Los gritos de «¡Bravo!», «¡Qué generosidad!» y otros semejantes fueron atronadores. Amanda y David hicieron solemne entrega del dinero a Yani. Yani, con lágrimas en los ojos, besó a David en ambas mejillas y, para deleite de los lugareños, le dio a Amanda un beso en la boca. Luego se volvió al alcalde.

—Señor alcalde —dijo—, aquí tiene usted las dieciocho mil dracmas que le debía mi padre. El pueblo entero es testigo de que liquido su deuda hasta el último céntimo.

Y cuidadosamente depositó el manojo de billetes delante del alcalde. De nuevo los vítores fueron ensordecedores, pero el alcalde, en lugar de alegrarse al ver que volvía a sus manos la mayor parte del dinero, parecía estar sufriendo una extraña alteración. Su cara normalmente pálida, color queso, se había puesto de pronto toda roja, a la vez que se le abultaban los ojos.

—¡*Vosotros* habéis sido! —gritó, poniéndose en pie súbitamente y apuntando a Amanda, David y Yani con un dedo tembloroso—. ¡*Vosotros* habéis sido!

Los aldeanos enmudecieron. Aquella nueva complicación del asunto no estaba prevista.

—¡*Ellos* se llevaron a los burros! —vociferó el alcalde, fuera de sí de ira—. ¡*Ellos* se llevaron a los burros para poder pedir la recompensa y dársela a Yani Panioti, y despojarme de mis derechos legales sobre sus tierras! ¡*Estos* son los «comunistas» que hemos estado buscando!

Los aldeanos miraron a los niños con ojos abiertos como platos. Hubo de pasar un momento hasta que asimilaron las palabras del alcalde, pero cuando al fin se dieron cuenta de lo que querían decir, ante sus ojos se descubrió toda la hermosura de la situación. El alcalde había recibido un trato ignominioso, había sido obligado a desprenderse de veinte mil dracmas, y Yani Panioti se había salvado, y todo gracias a la inteligencia de los niños ingleses. Fue Papa Nikos el que empezó, porque tan pronto como se le reveló toda la belleza del asunto soltó un relincho de risa que se habría podido oír a medio kilómetro. Cualquier otra multitud se habría indignado a la vista de lo que habían hecho los niños, pero aquellas gentes eran melisiotas y pensaban de otra manera. Todos los del pueblo se echaron a reír, y rieron y rieron sin parar. El alcalde rabiaba y vociferaba, pero al cabo de un rato lo tuvo que dejar porque en medio de aquel estruendo de carcajadas no le oía nadie.

Y fue así como los tres niños, con unos andares que tenían mucho de pavoneo, se abrieron paso por la plaza del pueblo entre los lugareños, algunos de los cuales se reían tan fuerte que casi no se tenían en pie, y regresaron a sus casas.

ESTE LIBRO PUBLICADO POR
EDITORIAL SANTILLANA, S.A.
BAJO EL SELLO ALFAGUARA, SE TERMINÓ
DE IMPRIMIR EN EL MES DE OCTUBRE DE
1995, EN LOS TALLERES GRÁFICOS DE
LERNER LTDA - SANTAFÉ DE BOGOTÁ,
D.C. - COLOMBIA.